실력도 **탑!** 재미도 **탑!**
사고력 수학의 으뜸

이 책의 목차

TOP 사고력 수학의 특징

TOP사고력 수학 A/B 시리즈 는 수학 경시 대회와 영재교육원을 대비하여 꼭 알아야 할 교과서 밖 수학 개념과 실전 문제로 학생을 최상위권으로 이끌어줄 교재입니다.

보통의 상위권 실전 문제집들이 주제별로 적은 수의 문제를 나열하는 구성이라면 TOP사고력 수학은 풍부한 개념과 여러 가지 문제해결의 원리를 캐릭터들과 함께 재미있게 살펴본 후, 유형별로 충분히 연습할 수 있도록 하였습니다. 더불어 "사고력 쑥쑥"이라는 이름의 별도 구성을 두어 주제별 학습 이후에 다양한 문제를 해결하면서 주제별 다지기 학습을 할 수 있도록 했습니다.

수학적 "깜냥" 키우기

깜냥의 뜻 - 스스로 일을 헤아릴 수 있는 능력

TOP사고력 수학의 학습 목표는 처음 보는 문제를 만나더라도 문제가 요구하는 바를 정확하게 파악하고 스스로 해결할 수 있는 능력, 즉 수학적 깜냥을 키우는 것입니다. 그런 의미에서 이 책의 주인공은 깜냥에서 따온 깜이와 냥이라는 두 아이와 수학 선생님입니다. 다양한 실전 문제를 해결하기에 앞서서 개념과 원리를 깜이, 냥이와 선생님이 이야기하듯이 재미있게 알려 줍니다.

깜이　　　　냥이　　　　선생님

스토리텔링 수학!

스토리텔링의 본질은 이야기를 전달하는 것이 아니라 말하는 사람과 듣는 사람 간의 상호 작용을 통해서 듣는 사람이 스스로 생각하면서 이해할 수 있도록 하는 것입니다. TOP사고력 수학은 만화나 이야기를 매개체로 하여 내용을 전달하는 형식적인 스토리텔링이 아니라 아이에게 상황을 그림으로 보여주고 질문을 하고, 활동 자료로 직접 해 볼 수 있도록 하고, 게임을 하면서 연습할 수 있도록 하는 가장 효과적인 스토리텔링 수학입니다.

체계적 구성과 충분한 연습으로 사고력 쑥쑥!!

각 단원의 시작은 "생각열기"로 학생들이 공부할 주제에 대해 먼저 생각해 보도록 질문을 던지고, 다음 쪽에서 선생님의 설명이 이어집니다. 작은 주제별로도 상황에 맞는 개념과 원리를 충분히 알아본 후, "탐구 유형"에서 유형별로 문제를 다루어 보도록 하였습니다. 단원의 마지막인 "TOP 사고력"에서는 실전 사고력 문제로 단원을 마무리하게 됩니다.

책의 뒷부분에는 각 단원의 복습 및 다지기를 할 수 있는 "사고력 쑥쑥"을 두어 충분한 연습으로 공부한 내용을 자기 것으로 만들 수 있도록 하였습니다.

예비 활동 가이드

TOP사고력 수학 A/B 시리즈는 실전에 강한 수학 공부를 목표로 하기 때문에 교구의 도움 없이 문제 해결을 하도록 하였습니다. 그 대신 주제에 따라 스스로 원리를 이해하고 문제를 해결하는 데 도움이 되도록 예비 활동 가이드를 두어 필요에 따라 문제를 해결해 보기 전에 해 볼 수 있는 활동을 제시하였습니다.

저자 동영상 강의

정답지에서 글로 전달하기 힘든 교육 방법, 활용의 예, 개념의 확장 등의 동영상을 제공합니다. 동영상은 PC에서 볼 수도 있고, QR코드를 이용하여 모바일로 이용할 수도 있습니다.

TOP 사고력 수학 시리즈

- 영역별 나선형식 반복 학습 구조
- 나이, 학년 단계별 수학의 각 영역 비중 차등
- 경시, 영재교육원 등의 최신 문제 경향 반영

유아 단계와 초등 단계의 학습 목표

- **K/P시리즈** - 초등 입학 전 알아야 할 필수적인 수학 개념을 익히면서 수감각, 공간지각력, 논리력, 문제 이해력 등 수학적 직관력을 키우기
- **A/B시리즈** - 초등 저학년을 대상으로 수학 경시, 영재교육원의 대비와 최상위권으로 이끌기

시리즈별 학습 단계

- **K시리즈** - 수학의 시작 단계(6~7세)
- **P시리즈** - 초등 입학 준비 단계(7~8세)
- **A시리즈** - 초등 1학년 과정을 마친 학생을 대상으로 한 심화 사고력(초1~초2)
- **B시리즈** - 초등 2학년 과정을 마친 학생을 대상으로 한 심화 사고력(초2~초3)

TOP 사고력 수학의 구성

생각열기

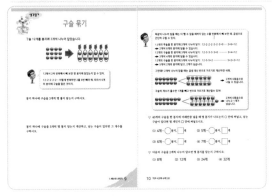

각 단원의 첫 페이지는 공부할 주제에 대한 발문의 역할을 하는 "생각열기"입니다.

재미있게 공부할 주제에 대한 호기심을 유발하고, 간단한 질문에 답하도록 합니다. 꼭 정답을 맞추기보다는 스스로 생각해 보는 것에 초점을 맞추도록 합니다.

스스로 먼저 생각하는 데 방해가 되지 않도록 질문에 대한 설명은 다음 쪽에 있습니다.

원리 탐구

작은 주제별 개념과 문제해결의 원리를 알아보고, 확인 문제를 해결해 봅니다.

탐구 유형

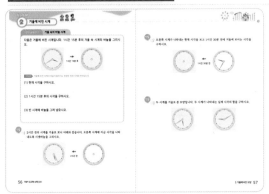

주제별로 여러 가지 유형별 문제를 공부합니다. 문제해결의 원리를 발견할 수 있도록 단계적으로 질문에 따라 문제를 풀어봅니다.

TOP 사고력

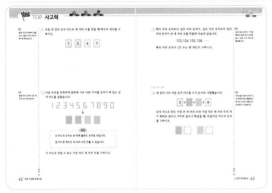

주제별 최고 난이도의 심화 문제를 공부합니다.

사고력 쑥쑥

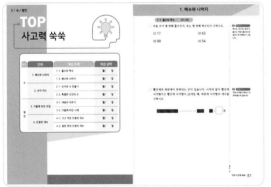

81쪽에서 112쪽까지 32쪽에 걸쳐서 앞에서 공부한 부분을 스스로 복습합니다. 80쪽에는 작은 주제의 복습을 시작하는 날짜를 적어서 한 권을 마치는 동안 공부한 시간을 한 눈에 볼 수 있도록 했습니다.

예비 활동 가이드와 활동 자료

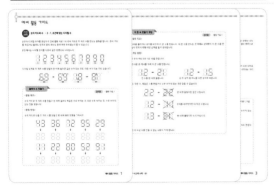

본문을 공부하기 전에 예비 활동을 소개하고 활동에 필요한 활동 자료가 들어 있습니다.

B 시리즈의 학습 내용

B1

연산	1. 곱셈
	2. 식 만들기
측정	3. 길이, 무게, 들이
	4. 시각, 날짜

B2

수	1. 배수와 나머지
	2. 숫자 카드와 수
평면	3. 거울에 비친 모양
	4. 도형의 개수

B3

논리	1. 논리 추론
	2. 경로와 위치
평면	3. 펜토미노 퍼즐
	4. 도형 움직이기

B4

연산	1. 저울산
	2. 여러 가지 배수 관계
입체	3. 쌓기나무 놀이
	4. 주사위

B5

규칙	1. 수의 규칙
	2. 모양 규칙
확률과 통계	3. 순서대로 나열하기
	4. 리그와 토너먼트

B6

문제 해결	1. 간격의 개수와 길이
	2. 거꾸로 해결하기
	3. 차 탐구
	4. 포함과 배제

동영상 강의를 활용해요.

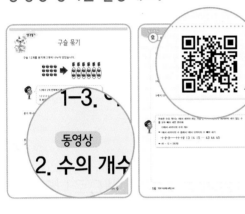

단원의 목차에는 동영상 이라는 표시가, 각 페이지의 윗부분에는 █ 모양이 있으면 동영상 강의가 있다는 뜻입니다.
동영상 강의에서는 문제를 해결하는 원리를 좀 더 쉽게 설명해 줍니다. 어려운 부분은 동영상 강의를 이용할 수 있습니다.

예비 활동을 활용해요.

단원의 목차에는 예비활동 이라는 표시가, 각 페이지의 윗부분에는 예비활동 가이드 1쪽 표시가 있으면 문제를 풀기 전에 해 보면 좋은 활동이 있다는 뜻입니다.
예비 활동 가이드와 활동 자료를 이용하여 활동이나 게임을 먼저 해 보고 나서 책의 문제를 풀어보면 좀 더 재미있고, 쉽게 문제를 해결할 수 있습니다.

접는 선을 따라 종이를 접고 문제를 풀어요.

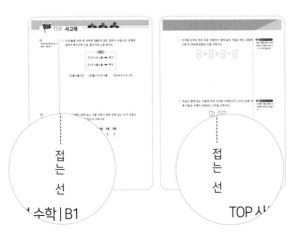

"TOP 사고력"과 "사고력 쑥쑥"에는 접는 선이 표시되어 있습니다. 접는 선 표시에 따라 종이를 접고 문제를 풀고, 어려운 경우 종이를 펼쳐서 도움글을 보고 해결해 봅니다.

TOP 사고력 수학

1. 곱셈

덧셈을 곱셈으로

다음은 곱셈구구표의 일부입니다. 색칠된 칸의 두 수의 합을 한 자리 수 2개의 곱으로 나타내는 방법을 알아보고 있습니다.

×	3	4
6	18	24

$$18 + 24 = \boxed{} \times \boxed{}$$

18 + 24를 계산한 다음 곱셈구구 중에서 그 값이 나오는 곱셈을 찾아보면 될 것 같아요.

물론 그렇게 답을 찾을 수 있지만 계산해보지 않고 위의 곱셈구구표만 보고 알 수도 있어.

위 곱셈식의 빈칸에 알맞은 한 자리 수를 써넣으시오.

18 + 24 = 42니까 곱셈구구 중에서 찾아보면 6×7이라는 것은 누구나 쉽게 구할 거야. 하지만 시간이 좀 걸렸을거야. 곱셈의 의미를 생각하면 계산하지 않고 답을 찾을 수 있어.

×	3	4
6	18	24

6×3은 6을 3개 더한 것, 6×4는 6을 4개 더한 것이야. 즉, 색칠된 칸의 합은 6을 7개 더한 것이야.

$$\longrightarrow\ 6×3 + 6×4 = (6+6+6) + (6+6+6+6) = 6×7$$

×	4	5
2	8	10
3	12	15

8과 10의 합은 2×9, 12와 15의 합은 3×9가 되지.
두 곱셈식에 공통으로 9가 있으니 9가 5개 더해진 것으로 생각할 수 있어.

$$\longrightarrow\ 2×4 + 2×5 = 2×9 = 9 + 9$$

$$\longrightarrow\ 3×4 + 3×5 = 3×9 = 9 + 9 + 9$$

$$\longrightarrow 5×9$$

🌱 다음은 곱셈구구표의 일부입니다. 색칠된 칸의 수의 합을 곱셈식으로 나타내시오.

(1)

×	4	5
7	28	35

(2)

×	2	3
4	8	12
5	10	15

다음은 곱셈구구표의 일부입니다. 색칠된 칸의 수의 차를 곱셈식으로 나타내시오.

×	3	4	5	6	7
7	21	28	35	42	49

49 - 21 = □ × □

두 수의 차를 계산하지 않고 바로 구할 수는 없을까?

7의 단에서 7에 3을 곱한 수와 7에 7을 곱한 수는 '7' 3개의 합과 '7' 7개의 합이야. 따라서 '7' 7개의 합에서 '7' 3개의 합을 빼면 '7' 4개의 합이 돼. 곱셈으로 나타내면 7×4가 되지.

⟶ 7×7 - 7×3 = 7×4

🌱 다음은 곱셈구구표의 일부입니다. 색칠된 칸의 수의 차를 곱셈식으로 나타내시오.

(1)

×	2	3	4	5
3	6	9	12	15

□ × □

(2)

×	4	5	6	7	8	9
8	32	40	48	56	64	72

□ × □

탐구 유형 1-1 곱셈 모으기, 가르기

다음은 곱셈식을 모으기, 가르기한 것입니다. 빈칸에 알맞은 수를 써넣으시오.

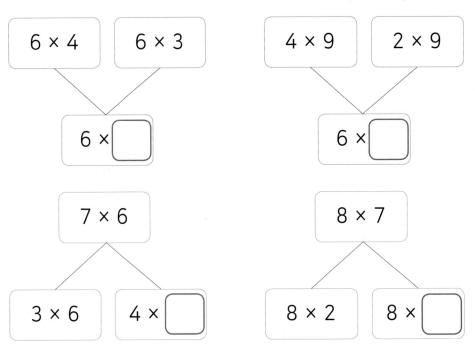

• **Point** 6×4는 6 4개의 합이기도 하고, 4 6개의 합이기도 합니다. .

연습

01 두 식의 합이 12 × 7이 되는 것끼리 선으로 이으시오.

2×7   •   •   8×7

5×7   •   •   9×7

3×7   •   •   10×7

4×7   •   •   7×7

연습

02 8개의 구슬이 들어 있는 주머니가 9개 있습니다. 각 주머니에서 3개의 구슬을 꺼내었을 때 빈칸에 수를 써넣어 남아있는 구슬의 개수를 구하시오.

$$\boxed{} \times 9 - \boxed{} \times 9 = \boxed{} \times \boxed{} = \boxed{}$$

　합이 같은 두 수의 곱

합이 12인 두 자연수가 있습니다. 두 자연수를 곱했을 때 가장 큰 곱과 가장 작은 곱을 구하시오.

> • Point 합을 만족하는 두 자연수를 모두 찾아 계산하고, 규칙을 살펴봅니다.

(1) 두 자연수의 합이 12인 경우를 모두 쓰시오.

(2) (1)에서 구한 두 수를 곱하여 가장 큰 곱과 가장 작은 곱을 각각 구하시오.

연습

01 합이 15인 두 자연수가 있습니다. 두 자연수를 곱했을 때 가장 큰 곱을 구하시오.

연습

02 보기 와 같이 주어진 숫자 카드를 두 개씩 더해서 나온 두 수를 곱했을 때, 가장 큰 곱을 구하시오.

보기

| 0 | 1 | 2 | 5 |

$0 + 5 = 5, \ 1 + 2 = 3$

$5 \times 3 = 15$

| 1 | 2 | 3 | 5 |

탐구 유형 1-3   끈의 길이

그림은 가로, 세로 길이가 같은 상자 12개를 사각형 모양으로 놓고, 둘레를 빨간색 끈으로 묶은 것입니다. 끈이 가장 긴 모양에 ○표, 끈이 가장 짧은 모양에 △표 하시오.

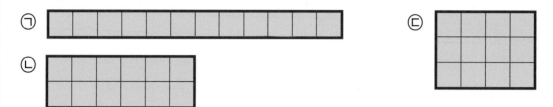

• **Point** 길쭉하게 생길수록 가로, 세로의 합이 크고, 모여서 많이 붙어 있을수록 가로, 세로의 합이 작습니다.

(1) 세 모양에서 빨간색 끈의 길이가 상자 한 개의 세로 길이의 몇 배인지 구하시오.

ⓐ - [   ] 배   ⓑ - [   ] 배   ⓒ - [   ] 배

(2) 끈이 가장 긴 모양에 ○표, 가장 짧은 모양에 △표 하시오.

연습
01 곱이 20인 여러 가지 두 자연수 중 합이 가장 작은 두 자연수를 구하시오.

연습
02 가로, 세로 길이가 1인 상자 16개를 사각형 모양으로 놓고, 끈으로 둘레를 묶으려고 합니다. 가장 짧은 끈의 길이를 구하시오.

2 곱셈구구 규칙

다음은 곱셈구구표의 일부입니다. 곱셈구구표의 규칙을 찾아봅시다.

1	2	3	4	5	6	7	8	9
2	4	6	8	10	12	14	16	18
3	6	9	12	15	18	21	24	27
4	8	12	16	20	24	㉠	32	36
5	10	15	20	25	30	35	40	45
6	12	18	24	30	36	42	48	54
7	14	21	28	35	42	49	56	63
8	16	24	32	40	48	56	64	72
9	18	㉡	36	45	54	63	72	81

빨간 점선을 따라 곱셈구구표를 접었을 때 어떤 규칙이 있는지 생각하여 아래 문제를 해결해 보자.

💡 ㉠과 ㉡에 알맞은 수를 쓰시오.

(1) ㉠ =   (2) ㉡ =

2 곱셈구구 규칙

탐구 유형 2-1 　곱셈구구표 규칙

곱셈구구표의 짝수의 개수를 구하시오.

×	1	2	3	4	5	6	7	8	9
1	1	2	3	4	5	6	7	8	9
2	2	4	6	8	10	12	14	16	18
3	3	6	9	12	15	18	21	24	27
4	4	8	12	16	20	24	28	32	36
5	5	10	15	20	25	30	35	40	45
6	6	12	18	24	30	36	42	48	54
7	7	14	21	28	35	42	49	56	63
8	8	16	24	32	40	48	56	64	72
9	9	18	27	36	45	54	63	72	81

• Point　(홀수)×(홀수)=(홀수)의 성질을 이용하여 홀수의 개수를 구합니다.

(1) 곱셈구구표의 전체 수의 개수를 구하시오.

$$\boxed{} \times \boxed{} = \boxed{} \text{ 개}$$

(2) 곱셈구구표의 홀수의 개수를 구하시오.

$$\boxed{} \times \boxed{} = \boxed{} \text{ 개}$$

(3) 전체 수에서 홀수의 개수를 빼서 짝수의 개수를 구하시오.

연습 01 다음 물음에 답하시오.

(1) 곱셈구구표에서 같은 수 2개를 곱한 수를 모두 쓰시오.

(2) 곱셈구구표에 홀수 번 나오는 수를 모두 쓰시오.

(3) 곱셈구구표에 한 번만 나오는 수를 모두 쓰시오.

연습 02 다음은 곱셈구구표의 일부입니다. ㉠과 ㉡의 차는 12이고, ㉡과 ㉢의 차는 20입니다. 물음에 답하시오.

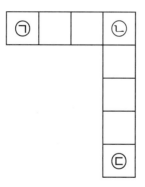

(1) ㉠, ㉡은 공통으로 몇의 단 곱셈입니까?

(2) ㉡, ㉢은 공통으로 몇의 단 곱셈입니까?

(3) ㉠, ㉡, ㉢을 구하시오.

㉠ = [   ],   ㉡ = [   ],   ㉢ = [   ]

② 곱셈구구 규칙

탐구 유형 2-2   일의 자리 숫자 관찰

다음은 곱셈구구표의 일부를 일의 자리만 나타낸 것입니다. ★ 모양에 들어가는 원래의 두 자리 수를 구하시오.

4	2	0	★	6	4

• Point 몇의 단 곱셈인지 먼저 찾습니다.

(1) 원래의 두 자리 수가 오른쪽으로 얼마만큼 커지는지 구하시오.

(2) 몇의 단 곱셈입니까?

(3) ★ 모양에 들어가는 원래의 두 자리 수를 구하시오.

연습

01 다음은 곱셈구구표의 일부를 일의 자리만 나타낸 것입니다. 빈칸에 들어가는 원래의 수를 구하시오.

(1)

	2
	6
	0

(2)

0	5	0		0
	8			
	1			
	7			

연습 02 16쪽의 곱셈구구표를 참고하여 다음과 같은 규칙을 갖는 단을 모두 쓰시오.

(1) 곱의 일의 자리 숫자가 모두 다릅니다.

(2) 곱의 일의 자리 숫자와 십의 자리 숫자를 더하면 3, 6, 9입니다.

(3) 곱의 일의 자리 숫자와 십의 자리 숫자를 더하면 9입니다.

연습 03 다음과 같은 규칙을 갖는 단을 모두 선으로 이으시오.

곱의 일의 자리 숫자는 5와 0뿐입니다.	• 1단
	• 2단
	• 3단
곱이 커질수록 일의 자리 숫자는 1씩 작아집니다.	• 4단
	• 5단
곱의 일의 자리 숫자가 4, 8, 2, 6, 0으로 반복됩니다.	• 6단
	• 7단
곱의 결과가 모두 한 자리 숫자입니다.	• 8단
	• 9단

③ 연속수

 연속수의 합

탐구 유형 3-1 　　**연속수의 합**

파란색 칸에 같은 수를 채우고, 곱셈식을 이용하여 연속하는 수의 합을 구하시오.

(1)　2
　　　1
　　1 + 2 + 3 + 4 + 5 = ⬜ + ⬜ + ⬜ + ⬜ + ⬜

　　= ⬜ × ⬜ = ⬜

• Point ▶ 연속수의 개수가 홀수 개일 때는 모두 같은 수로 만들어 계산할 수 있습니다.

(2)　7
　　7
　　7
　　1 + 2 + 3 + 4 + 5 + 6 = ⬜ + ⬜ + ⬜

　　= ⬜ × ⬜ = ⬜

• Point ▶ 연속수의 개수가 짝수 개일 때는 둘씩 짝지어 모두 같은 수로 만들어 계산할 수 있습니다.

연습

01 □ 안에 알맞은 수를 써넣어 연속수의 합을 구하시오.

(1) 7+8+9 = ⬜ + ⬜ + ⬜

　　= ⬜ × ⬜ = ⬜

(2) 2+3+4+5+6+7 = ⬜ + ⬜ + ⬜

　　= ⬜ × ⬜ = ⬜

연습 02 어느 달의 달력입니다. 곱셈식을 이용하여 색칠된 날짜의 합을 구하시오.

일	월	화	수	목	금	토
	1	2	3	4	5	6
7	8	9	10	11	12	13
14	15	16	17	18	19	20
21	22	23	24	25	26	27
28	29	30	31			

연습 03 한 자리 홀수의 합을 곱셈식을 이용하여 구하려고 합니다. 빈칸에 알맞은 수를 써 넣으시오.

$$1+3+5+7+9 = \boxed{} + \boxed{} + \boxed{} + \boxed{} + \boxed{}$$

$$= \boxed{} \times \boxed{} = \boxed{}$$

연습 04 한 자리 짝수의 합을 곱셈식을 이용하여 구하시오.

주어진 수를 연속하는 수의 합으로 나타내려고 합니다. 다음 물음에 답하시오.

• Point ▷ 주어진 수를 같은 수의 합으로 만들어 연속하는 수를 구할 수 있습니다.

(1) 다음과 같이 주어진 수를 연속하는 홀수 개의 수의 덧셈식으로 나타낼 수 있습니다.

$$9 = 3 + 3 + 3 = 2 + 3 + 4$$

연속하는 5개의 수의 합이 35일 때, 빈칸에 알맞은 수를 넣어 연속하는 5개의 수를 구하시오.

$$35 = \boxed{} + \boxed{} + \boxed{} + \boxed{} + \boxed{}$$

$$= \boxed{} + \boxed{} + \boxed{} + \boxed{} + \boxed{}$$

(2) 다음과 같이 주어진 수를 연속하는 짝수 개의 수의 덧셈식으로 나타낼 수 있습니다.

$$14 = 7 + 7 = 3 + 3 + 4 + 4 = 2 + 3 + 4 + 5$$

연속하는 4개의 수의 합이 18일 때, 빈칸에 알맞은 수를 넣어 연속하는 4개의 수를 구하시오.

$$18 = \boxed{} + \boxed{} = \boxed{} + \boxed{} + \boxed{} + \boxed{}$$

$$= \boxed{} + \boxed{} + \boxed{} + \boxed{}$$

연습 01 같은 색에는 같은 수가 들어갑니다. 주어진 수를 연속수의 합으로 나타내시오.

(1) 50 = ▢ + ▢ + ▢ + ▢ + ▢

= ▢ + ▢ + ▢ + ▢ + ▢

(2) 21 = ▢ + ▢ + ▢

= ▢ + ▢ + ▢ + ▢ + ▢ + ▢

= ▢ + ▢ + ▢ + ▢ + ▢ + ▢

연습 02 연속하는 9개의 수의 합은 72입니다. 가운데 수를 구하시오.

연습 03 매일 책을 6쪽씩 읽기로 했습니다. 오늘 읽은 여섯 쪽의 합이 27일 때 내일은 몇 쪽부터 읽어야 하는지 구하시오.

1번 조건으로 세로줄이 몇의 단인지 찾습니다.

01 다음은 곱셈구구표의 일부분입니다. 조건 을 보고 색칠된 칸에 들어갈 수를 구하시오.

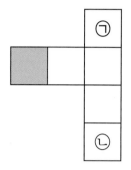

조건

1. ㉠과 ㉡의 차이는 24입니다.
2. ㉡에 들어가는 수는 $2 \times 8 + 4 \times 8$입니다.

같은 수를 7번 더해서 63이 되는 수를 찾습니다.

02 어느 달 달력에서 연속하는 7개의 날짜를 더한 값이 63입니다. 연속하는 7개의 날짜에 ○표 하시오.

일	월	화	수	목	금	토
1	2	3	4	5	6	7
8	9	10	11	12	13	14
15	16	17	18	19	20	21
22	23	24	25	26	27	28
29	30	31				

접는 선

03 다음은 곱셈구구표의 일부분입니다. 가로줄은 1의 단이고 가로줄에 있는 수들의 합이 30일 때, 파란색 칸의 수를 구하시오.

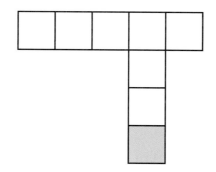

가로줄은 1의 단이므로 가로줄에 있는 수는 연속하는 수입니다.

TOP of TOP

04 다음 바둑돌에는 일정한 규칙이 있습니다. 7번째 모양의 바둑돌의 개수를 구하시오.

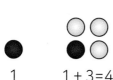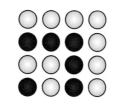 ...

1   1 + 3 = 4   1 + 3 + 5 = 9   1 + 3 + 5 + 7 = 16

방법1
연속수의 합을 구하는 방법과 같이 모두 같은 수로 만들어 계산합니다.

방법2
한 줄에 있는 바둑돌의 개수를 2번 곱합니다.

TOP 사고력 수학

2. 식 만들기

200에 가장 가까운 식

주어진 숫자 카드 중에서 5장의 숫자 카드를 골라 합이 200에 가장 가까운
(세 자리 수) + (두 자리 수)를 만들려고 합니다.

```
    2  0  3
 +     1  4
 ─────────────
    2  1  7
```

 백의 자리에 2를 넣어 200에 가까운
식을 만들어야지.

200에 더 가까운 식은 없을까?

217보다 200에 더 가까운 덧셈식을 찾아보시오.

합이 200에 가장 가까운 식을 구하라고 하면 백의 자리 숫자를 2로 생각하고 틀리는 경우가 많아. 백의 자리 숫자가 1인 경우도 반드시 비교해 봐야 해.

백의 자리 숫자가 1일 때와 2일 때 합이 각각 200에 가까운 식를 구해 보면 다음과 같아. 더하는 두 수의 십의 자리와 일의 자리 숫자의 위치는 서로 바뀔 수 있어.

```
    1 5 3              2 0 3
+     4 2          +     1 4
-----------        -----------
    1 9 5              2 1 7
```

만약, 합이 200에 가까운 식을 구하는데 백의 자리 숫자를 2로만 생각했다면 틀렸겠지?

❦ 주어진 숫자 카드 중에서 5장의 숫자 카드를 골라 (세 자리 수) + (두 자리 수)를 만들려고 합니다. 조건에 맞게 빈칸을 채우시오.

```
0   1   2   3   4   5
```

(1) 두 수의 합이 가장 큰 식

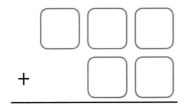

(2) 두 수의 합이 가장 작은 식

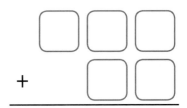

(3) 두 수의 300에 가장 가까운 식

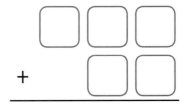

(4) 두 수의 합이 400에 가장 가까운 식

탐구 유형 1-1 차가 가장 작은 식

6장의 숫자 카드 중 4장을 사용하여 차가 가장 작은 (두 자리) - (두 자리) 뺄셈식의 값을 구하시오.

       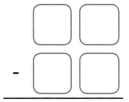

Point 가장 큰 자리에 들어가는 두 숫자의 차가 가장 작아야 합니다.

(1) 십의 자리 숫자로 알맞은 숫자 2쌍을 (,) 안에 쓰시오.

(,)   (,)

(2) (1)에서 구한 숫자를 넣어서 둘 중 어느 경우에 차가 가장 작은지 구하시오.

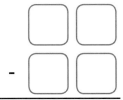   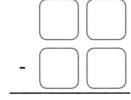

(3) 차가 가장 작은 뺄셈식의 값은 무엇입니까?

연습

01 위의 탐구 유형 문제에서 차가 가장 큰 (두 자리) – (두 자리) 뺄셈식의 값을 구하시오.

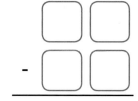

연습
02 주어진 숫자 카드로 두 자리 수 2개를 만들어 차가 가장 작은 뺄셈식을 만들려고
합니다. 다음 □ 안에 알맞은 숫자를 써넣으시오.

2   3   5   8

□□
- □□
―――

연습
03 주어진 숫자 카드로 (두 자리) – (두 자리) 뺄셈식을 만들려고 합니다. 조건에 맞게
빈칸을 채우고 그 값을 구하시오.

1   2   3   4

(1) 차가 가장 큰 식

□□
- □□
―――

(2) 차가 가장 작은 식

□□
- □□
―――

탐구 유형 1-2 **뒤집어진 숫자 카드**

서로 다른 4장의 숫자 카드를 사용하여 차가 가장 작은 (두 자리) - (두 자리) 뺄셈식을 만들었더니 차가 12입니다. 뒤집어진 카드의 숫자를 구하시오.

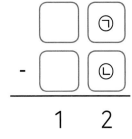

Point 일의 자리 뺄셈을 할 때 받아내림이 반드시 있습니다.

(1) 차가 가장 작은 뺄셈식이기 때문에 오른쪽 식에서 ㉠보다 ㉡이 더 큽니다. 일의 자리 숫자의 차는 얼마입니까?

(2) 십의 자리 숫자의 차는 얼마입니까?

(3) 뺄셈식의 빈칸에 숫자를 넣고, 뒤집어진 숫자를 구하시오.

연습

01 서로 다른 4장의 숫자 카드를 사용하여 차가 가장 작은 (두 자리) - (두 자리) 뺄셈식을 만들었더니 차가 6입니다. 뒤집어진 카드의 숫자를 구하시오.

연습 02 서로 다른 4장의 숫자 카드를 사용하여 합이 가장 큰 (두 자리) + (두 자리) 덧셈식을 만들었더니 합이 167입니다. 뒤집어진 카드의 숫자를 구하시오.

9 5 ☐ 2

연습 03 주어진 숫자 카드는 크기 순서대로 놓여 있습니다.

2 ☐ 7 ☐

다음은 숫자 카드를 한 번씩 사용하여 만든 차가 가장 큰 (두 자리) − (두 자리) 뺄셈식입니다. 빈칸에 알맞은 숫자를 써넣으시오.

$$\begin{array}{cc} \square\square \\ -\ \square\square \\ \hline 6\ \ 3 \end{array}$$

탐구주제

2 모양이 나타내는 수

숫자가 비어 있거나 숫자를 대신하여 모양이나 글자가 있는 문제는 받아올림과 일의 자리의 계산을 제일 먼저 살펴봅니다. 다음 식에서 글자가 나타내는 숫자를 구해 봅시다.

$$
\begin{array}{ccc}
 & & A \\
 & & A \\
+ & B & B \\
\hline
C & D & B \\
\end{array}
$$

가장 큰 자리인 C는 십의 자리 계산에서 받아올림된 숫자네.

일의 자리에 B를 더하는데 아래에 B가 있으니까 A는 0이나 5가 되겠어.

A, B, C, D가 나타내는 숫자를 구하시오.

A = ☐ ,   B = ☐ ,   C = ☐ ,   D = ☐

💡 다음 식에서 글자가 나타내는 숫자를 구하시오.

$$A+A+A+A+A+A+A+A+A=BA$$

A = ☐ ,   B = ☐

탐구 유형 2-1   **벌레 먹은 셈**

종이가 찢어져서 식의 일부가 보이지 않습니다. □ 안에 알맞은 숫자를 써넣어 식을 완성하시오.

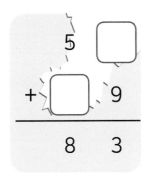

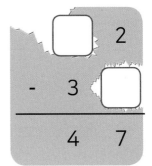

Point 덧셈과 뺄셈의 관계와 받아올림/받아내림을 생각해서 먼저 구할 수 있는 숫자를 찾습니다.

연습

01 다음 □ 안에 알맞은 숫자를 써넣어 식을 완성하시오.

(1)
```
    7 □
+  □ 8
─────────
 □  4 3
```

(2)
```
      4 □
+  □ □ 4
─────────
   4 1 5
```

(3)
```
  3 4 □
- □ □ 8
─────────
 □  6 2
```

(4)
```
 □ □ 3
-  1 □
─────────
   8 6
```

각 자리의 숫자 ㉠, ㉡, ㉢, ㉣의 합을 구하려고 합니다. 다음 물음에 답하시오.

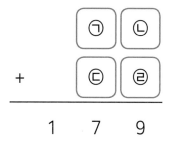

(1) 일의 자리 숫자의 합을 구하시오.

(2) ㉠ + ㉡ + ㉢ + ㉣을 구하시오.

연습 03 1부터 9까지의 숫자를 한 번씩 사용하여 식을 만들었습니다. 다음 □ 안에 알맞은 숫자를 써넣으시오.

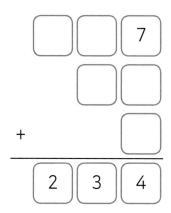

2 모양이 나타내는 수

탐구 유형 2-2   모양이 나타내는 수

다른 모양은 다른 수를 나타냅니다. 주어진 식을 보고 모양이 나타내는 수를 각각 구하시오

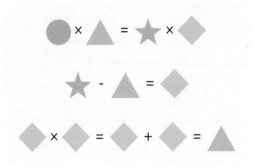

Point ▶ 마지막 식의 모양이 나타내는 수를 가장 먼저 구합니다.

(1) 가장 먼저 알 수 있는 모양을 그리시오.

(2) 모양이 나타내는 수를 구하시오.

● = ☐ , ◆ = ☐ , ▲ = ☐ , ★ = ☐

연습

01 다른 모양은 다른 수를 나타냅니다. 다음 ☐ 안에 알맞은 수를 써넣으시오.

★ + ★ = ◆ + ●   ◆ - ● = ◆

★ × ★ = ★ + ★ + ★   ◆ = ☐

연습 02 다른 모양은 0에서 4까지의 다른 수를 나타냅니다. 모양이 나타내는 수를 구하시오.

$$▲ + ● = ●$$
$$■ + ◆ = ★$$
$$■ × ■ = ■$$
$$● × ★ = ★ + ★$$

★ = ☐, ◆ = ☐, ■ = ☐, ● = ☐, ▲ = ☐

연습 03 다른 모양은 다른 숫자를 나타냅니다. 모양이 나타내는 수를 구하시오.

$$★ × ★ = ◆★$$
$$■ + ■ + ■ = ●■$$
$$● + ■ = ★$$

● = ☐, ◆ = ☐, ■ = ☐, ★ = ☐

② 모양이 나타내는 수

탐구 유형 2-3 **덧셈 복면산**

다른 문자는 다른 숫자를 나타냅니다. 문자가 나타내는 숫자를 구하고 식을 완성하시오.

```
      B  B
  +   C  C
  ─────────
   A  C  A
```

→

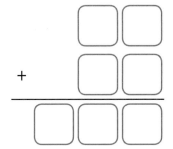

Point 받아올림을 생각하고 예상하기 쉬운 문자부터 차례대로 구합니다.

(1) 두 수의 합의 백의 자리 숫자인 A가 나타내는 숫자는 무엇입니까?

(2) 더하는 두 수 중 한 수의 십의 자리 숫자가 C인데 두 수의 합의 십의 자리 숫자도 C입니다. B가 나타내는 숫자는 무엇입니까?

(3) 빈칸을 채워 식을 완성하시오.

연습

01 다른 문자는 다른 숫자를 나타냅니다. 문자가 나타내는 숫자를 구하시오.

(1)
```
      B  B
  +   B  C
  ─────────
   A  C  B
```

A = ☐ , B = ☐ , C = ☐

(2)
```
      B  A
  +      B
  ─────────
   A  C  C
```

A = ☐ , B = ☐ , C = ☐

연습

02 다른 문자는 다른 숫자를 나타냅니다. 문자가 나타내는 숫자를 구하시오.

$$
\begin{array}{ccc}
 & A & B \\
+ \quad C & A \\
\hline
A & D & D \\
\end{array}
$$

A = ☐ , B = ☐ , C = ☐ , D = ☐

연습

03 다른 문자는 다른 숫자를 나타냅니다. 문자가 나타내는 숫자를 구하시오.

(1)
$$
\begin{array}{cccc}
 & & & ㄱ \\
 & & ㄱ & ㄴ \\
+ & ㄱ & ㄴ & ㄷ \\
\hline
 & 5 & ㄷ & ㄷ \\
\end{array}
$$

ㄱ = ☐ , ㄴ = ☐ , ㄷ = ☐

(2)
$$
\begin{array}{ccc}
 & ㄴ & ㄷ \\
 & ㄴ & ㄷ \\
+ & ㄴ & ㄱ \\
\hline
ㄱ & ㄴ & ㄱ \\
\end{array}
$$

ㄱ = ☐ , ㄴ = ☐ , ㄷ = ☐

(3)
$$
\begin{array}{ccc}
 & ㄴ & ㄷ \\
 & ㄴ & ㄷ \\
+ & ㄴ & ㄷ \\
\hline
ㄱ & ㄴ & ㄱ \\
\end{array}
$$

ㄱ = ☐ , ㄴ = ☐ , ㄷ = ☐

탐구주제 ② 모양이 나타내는 수

탐구 유형 2-4 **가장 큰 수, 작은 수**

큰 수 만들기

다른 문자는 다른 숫자를 나타냅니다. 다음 식을 만족하는 가장 작은 수 ㉣㉤㉣을 구하시오.

$$
\begin{array}{r}
㉠\quad㉠ \\
+\quad㉡\quad㉢\quad㉡ \\
\hline
㉣\quad㉤\quad㉣
\end{array}
$$

Point ▶ 백의 자리를 관찰해 보면 ㉣은 ㉡보다 1 큽니다.

(1) 두 수의 합의 백의 자리와 일의 자리를 관찰하여 ㉠을 구하시오.

(2) 가장 작은 숫자부터 차례로 ㉣에 넣어서 식을 만족하는 가장 작은 수 ㉣㉤㉣을 구하시오.

 연습

01 다른 문자는 다른 숫자를 나타냅니다. 다음 식의 계산 결과가 가장 클 때, 문자가 나타내는 숫자를 구하시오.

$$㉠㉠ + ㉡㉠ = ㉢㉡$$

㉠ = ☐, ㉡ = ☐, ㉢ = ☐

연습 02 다른 문자는 다른 숫자를 나타냅니다. 다음 식의 계산 결과가 가장 작을 때, ⓛ이 나타내는 숫자를 구하시오.

$$ⓛⓛ + ⓒⓒ + ⓒ = ㉠㉠ⓛ$$

연습 03 주어진 숫자 카드 여러 개를 사용하여 다음과 같은 덧셈식을 만들려고 합니다. 두 자리 수 ⓛⓒ이 될 수 있는 수를 모두 구하시오. 단, 서로 다른 문자는 다른 숫자를 나타냅니다.

㉠㉠ + ⓛⓒ = 45

연습 04 다음 덧셈식의 빈칸에 모두 다른 숫자를 넣어 계산 결과가 가장 큰 식을 완성하시오.

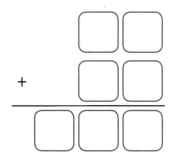

01 주어진 숫자 카드를 모두 사용하여 다음과 같은 식을 만들려고 합니다. 계산 결과가 가장 작도록 빈칸에 알맞은 숫자를 써넣으시오.

십의 자리에 들어가는 숫자를 먼저 생각합니다.

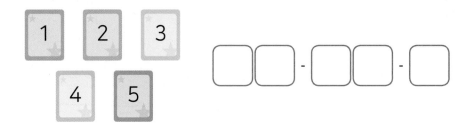

02 서로 다른 4장의 숫자 카드를 사용하여 합이 가장 작은 (두 자리) + (두 자리) 덧셈식을 만들었더니 계산 결과가 71입니다. 이 숫자 카드로 차가 가장 작은 (두 자리) − (두 자리) 뺄셈식의 값을 구하시오.

(두 자리) + (두 자리) 덧셈식에서 2는 십의 자리에 5는 일의 자리에 더해집니다.

접는 선

03 다른 모양은 다른 숫자를 나타냅니다. ◯와 ☐가 나타내는 숫자를
   구하시오.

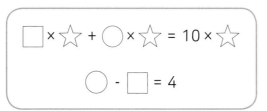

$$\square \times ☆ + ◯ \times ☆ = 10 \times ☆$$

$$◯ - \square = 4$$

◯ = ☐

☐ = ☐

첫 번째 조건에서
◯+☐ = 10입니다.

TOP of TOP

04 다른 문자는 다른 숫자를 나타냅니다. 다음 식의 값이 가장 클 때,
   문자가 나타내는 숫자를 구하시오.

㉠이 나타내는 숫자는 1
입니다.

```
                    ㉯
                ㉣  ㉯
    +     ㉢  ㉣  ㉯
    ─────────────────
    ㉠  ㉡  ㉤  ㉯
```

㉠ = ☐, ㉡ = ☐, ㉢ = ☐,

㉣ = ☐, ㉤ = ☐, ㉯ = ☐

접는 선

TOP 사고력 수학

3. 길이, 무게, 들이

단위길이

깜이와 냥이는 연필과 클립을 사용하여 리본의 길이를 쟀습니다. 리본의 길이를 클립만 사용하여 재어 봅시다.

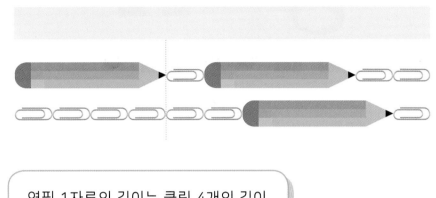

연필 1자루의 길이는 클립 4개의 길이와 같아.

리본의 길이는 클립 11개의 길이와 같네.

다음과 같이 가위와 지우개, 바둑알 여러 개를 사용하여 같은 길이를 만들었습니다. 가위와 지우개의 길이는 바둑알 몇 개의 길이와 같은지 각각 구하시오.

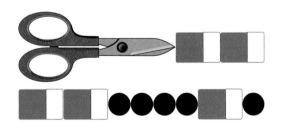

지우개 1개 = 바둑알 ☐ 개,   가위 1개 = 바둑알 ☐ 개

아래의 그림과 같이 점선을 그어볼까?

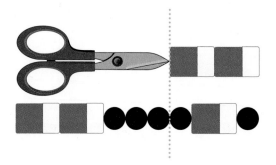

지우개 1개의 길이는 바둑알 2개의 길이와 같아.
가위 1개의 길이는 지우개 2개와 바둑알 3개의 길이와 같으므로 바둑알 7개의 길이와 같아.

어떤 물건의 길이를 잴 때, 기준이 되는 길이를
단위길이라고 해.

바둑알의 길이를 기준으로 가위와 지우개의 길이를 나타낼 수 있어. 또 가위가 지우개 2개
보다 바둑알 3개의 길이만큼 더 긴 것까지 알 수 있지.

🌱 나무 막대와 성냥개비, 풀 여러 개를 사용하여 같은 길이를 만들었습니다. 나무 막대
와 풀 중 더 긴 물건의 이름을 쓰고, 성냥개비 몇 개만큼 차이 나는지 구하시오.

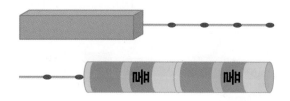

탐구 유형 1-1 몇 배

형이 일정한 빠르기로 뛰어서 4 m를 갈 때 동생은 자전거를 타고 12 m를 갑니다. 형이 뛰어서 10 m를 갈 때 동생은 자전거를 타고 몇 m를 가는지 구하시오.

> **Point** 형이 4 m씩 2번 반을 간다고 생각할 수도 있고, 동생이 형의 3배를 간다고 생각할 수도 있습니다.

(1) 형이 뛰어서 8 m 갈 때 동생은 몇 m를 갑니까?

(2) 형이 뛰어서 2 m 갈 때 동생은 몇 m를 갑니까?

(3) 형이 뛰어서 10 m 갈 때 동생은 몇 m를 갑니까?

연습
01 책상의 긴 부분은 짧은 부분의 3배입니다. 지원이가 책상의 긴 부분을 뼘으로 재었더니 12뼘일 때, 책상의 짧은 부분은 몇 뼘인지 구하시오.

연습
02 도서관에서 학교까지의 거리는 희원이 걸음으로 10분이 걸리고 수빈이 걸음으로 14분이 걸립니다. 도서관에서 학원까지 희원이 걸음으로 20분 걸릴 때, 수빈이 걸음으로 얼마나 걸릴지 구하시오.

1 하나의 단위로 재기

탐구 유형 1-2   하나의 단위로 비교하기

눈금이 없는 나무 막대 ㉠, ㉡을 함께 사용하여 여러 가지 길이를 재었습니다. 나무 막대 ㉠의 길이가 나무 막대 ㉡의 길이의 4배일 때 길이가 긴 것부터 순서대로 기호 ①, ②, ③, ④를 쓰시오.

① 냉장고의 높이 : ㉠ 1번, ㉡ 7번   ② 아빠의 키 : ㉠ 2번, ㉡ 5번

③ 책상의 폭 : ㉠ 0번, ㉡ 10번   ④ 소파의 폭 : ㉠ 3번, ㉡ 0번

▶ Point   ㉠으로 1번 잰 것은 ㉡으로 4번 잰 것과 같습니다.

(1) 각 물건의 길이는 나무 막대 ㉡으로 몇 번 잰 것과 같은지 빈칸에 써넣으시오.

① : ☐ 번   ② : ☐ 번   ③ : ☐ 번   ④ : ☐ 번

(2) 가장 긴 것부터 길이 순서대로 기호를 쓰시오.

연습

01 우산의 길이는 공책의 길이의 2배이고, 공책의 길이는 연필 길이의 3배입니다. 우산은 연필 길이의 몇 배인지 구하시오.

연습 02 나무 막대 여러 개를 그림과 같이 놓았습니다. 가 나무 막대는 다 나무 막대의 몇 배인지 구하시오.

연습 03 ㉠, ㉡, ㉢ 리본 여러 개를 사용하여 친구의 키를 재었습니다. ㉡ 리본의 길이는 ㉠ 리본 길이의 절반이면서 ㉢ 리본 길이의 3배일 때, 다음 친구들의 키를 보고 민현이의 키는 ㉢ 리본의 몇 배인지 구하시오.

· 수호의 키는 ㉠ 리본 2개와 ㉡ 리본 2개를 합친 길이와 같습니다.

· 철호의 키는 수호의 키보다 ㉡ 리본 1개와 ㉢ 리본 2개만큼 작습니다.

· 민현이의 키는 철호의 키에서 ㉢ 리본 4개를 합한 길이와 같습니다.

탐구 유형 1-3   둘로 잘라낸 막대

둘로 잘라낸 막대

그림에서 나무 막대 ㉠과 ㉡은 ㉢을 잘라서 만든 것입니다.

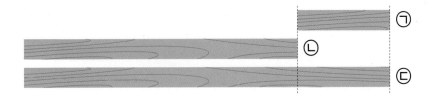

친구의 키를 ㉡으로 8번 재었더니 딱 맞았고, ㉢으로 6번 재었더니 역시 딱 맞았습니다. 친구의 키는 ㉠의 길이의 몇 배인지 구하시오.

Point ㉢ 1개의 길이는 ㉠ 1개와 ㉡ 1개의 길이의 합과 같습니다.

(1) ㉢ 6개의 길이는 ㉠ 몇 개와 ㉡ 몇 개의 길이와 같은지 구하시오.

(2) ㉡ 8개의 길이와 (1)에서 구한 여러 개의 ㉠, ㉡의 길이가 같다는 것을 이용하여 ㉡의 길이가 ㉠의 몇 배인지 구하시오.

(3) 친구의 키는 ㉠의 길이의 몇 배입니까?

연습

01 다음 그림과 같이 준혁이의 한 뼘의 길이는 연필과 지우개를 나란히 붙여놓은 길이와 같고, 3뼘의 길이는 연필 4자루를 나란히 붙여놓은 길이와 같습니다. 준혁이의 한 뼘의 길이는 지우개의 몇 배인지 구하시오.

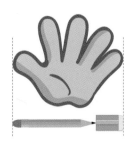

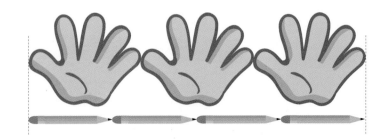

연습

02 연필과 나무 막대를 나란히 붙여 붓과 같은 길이를 만들었습니다. 붓으로 4번 잰 길이와 연필로 5번 잰 길이가 같을 때 붓은 나무 막대 몇 개의 길이와 같은지 구하시오.

연습

03 다음 테이프를 두 조각으로 나누어 한 테이프 조각으로 2번 잰 길이와 나머지 테이프 조각으로 3번 잰 길이가 같게 하려고 합니다. 테이프를 두 조각으로 나누는 선을 그리시오.

 여러 가지 잴 수 있는 길이나 무게를 찾을 때는 사용하는 막대나 추의 개수에 따라 경우를 나누어서 세면 빠뜨리는 것 없이 빠르게 문제를 해결할 수 있지.

크기와 모양이 같은 삼각형이 2개 있습니다. 삼각형을 이용하여 잴 수 있는 길이를 모두 구해 봅시다.

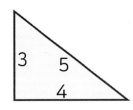　　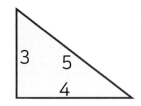

삼각형 1개로 잴 수 있는 길이를 모두 쓰시오.

그림과 같이 두 삼각형의 변의 길이를 더해서 잴 수 있는 길이를 모두 쓰시오.

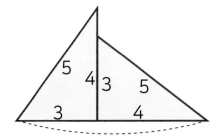

그림과 같이 두 삼각형의 변의 길이를 빼서 잴 수 있는 길이를 모두 쓰시오.

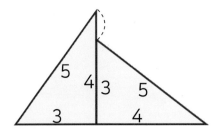

탐구 유형 2-1 | **막대로 잴 수 있는 길이**

1 cm, 2 cm, 7 cm 길이의 세 막대를 연결하여 다음과 같은 연결 막대를 만들었습니다. 1 cm에서 10 cm까지의 길이 중 이 연결 막대로 잴 수 없는 길이를 구하시오.

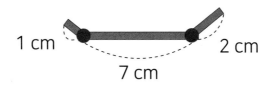

Point 막대의 개수를 늘려가면서 잴 수 있는 길이를 구합니다.

(1) 막대 1개로 잴 수 있는 길이를 쓰시오.

(2) 다음 □ 안에 알맞은 수를 써넣어 막대 2개로 잴 수 있는 길이를 써넣으시오.

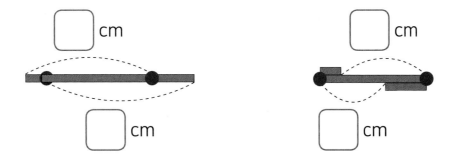

(3) 다음 □ 안에 알맞은 수를 써넣어 막대 3개로 잴 수 있는 길이를 써넣으시오.

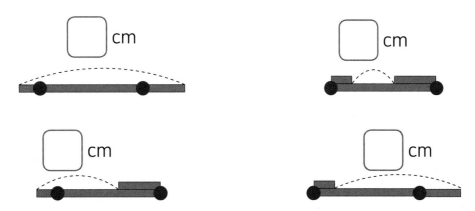

(4) 1 cm에서 10 cm까지 길이 중 잴 수 없는 길이를 구하시오.

연습 01 4 cm, 5 cm, 7 cm 길이의 세 막대를 연결하여 다음과 같은 연결 막대를 만들었습니다. 이 연결 막대로 잴 수 없는 길이에 ○표 하시오.

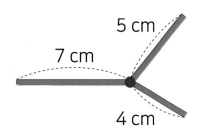

1 cm   3 cm   6 cm   8 cm

10 cm   11 cm   12 cm   16 cm

연습 02 그림과 같이 눈금이 지워진 자로 길이를 잴 수 있습니다. 이 자로 1 cm부터 9 cm의 길이 중 잴 수 없는 길이를 구하시오.

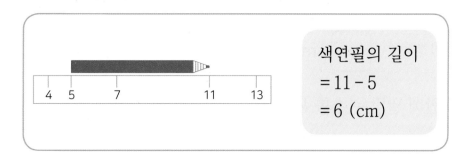

색연필의 길이
$= 11 - 5$
$= 6 \ (\text{cm})$

4	5	7	11	13

연습

03 다음과 같은 책과 공책으로 잴 수 있는 길이를 모두 구하시오. 단, 책과 공책을 펼 쳐서 길이를 잴 수 없습니다.

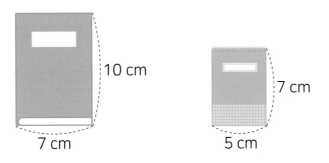

연습

04 다음은 가로, 세로가 4 cm, 3 cm인 종이를 최대 한 번 접어서 잴 수 있는 자연수의 길이를 구한 것입니다. 주어진 종이를 최대 두 번 접어서 잴 수 있는 자연수의 길 이는 몇 cm인지 모두 구하시오.

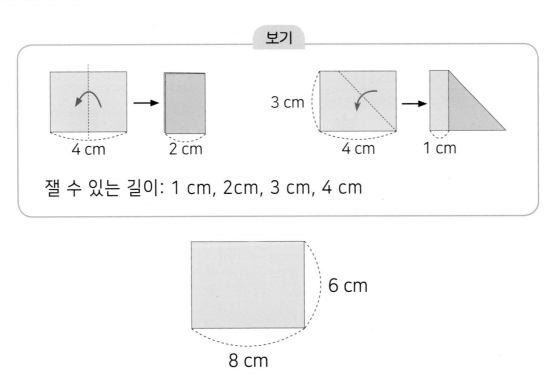

탐구 유형 2-2   잴 수 있는 무게

무게가 1 g, 3 g, 9 g인 추와 양팔저울을 사용하여 잴 수 있는 무게를 모두 구하시오.

Point ▶ 한쪽 접시에 올리면 합을 이용하고, 양쪽 접시에 올리면 차를 이용하여 무게를 구합니다.

(1) 보기 와 같이 한쪽 접시에만 추를 올려서 잴 수 있는 무게를 모두 구하시오.
단, 보기 에 주어진 무게는 제외합니다.

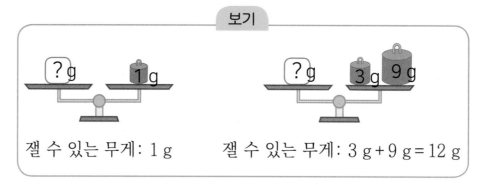

보기

잴 수 있는 무게: 1 g   잴 수 있는 무게: 3 g + 9 g = 12 g

(2) 보기 와 같이 양쪽 접시에 추를 올려서 잴 수 있는 무게를 모두 구하시오. 단,
보기 에 주어진 무게는 제외합니다.

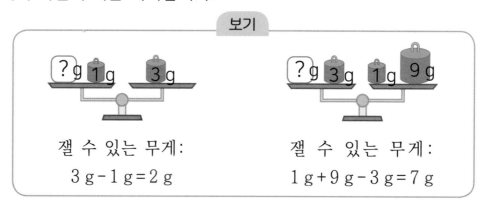

보기

잴 수 있는 무게: 잴 수 있는 무게:
3 g − 1 g = 2 g   1 g + 9 g − 3 g = 7 g

(3) 주어진 추와 양팔저울을 사용하여 잴 수 있는 무게를 모두 구하시오.

무게가 1 g, 2 g, 7 g인 추와 양팔저울을 사용하여 잴 수 있는 무게를 모두 구하시오.

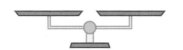

무게가 2 g, 3 g, 7 g인 추와 양팔저울을 사용하여 1 g부터 12 g까지의 무게 중 잴 수 없는 무게를 구하시오.

무게가 3 g, 4 g, 6 g인 추와 양팔저울을 사용하여 1 g부터 13 g까지의 무게 중 잴 수 없는 무게를 모두 구하시오.

탐구 유형 2-3   **2개의 물통**

들이가 3 L와 5 L인 물통으로 1 L의 물을 만드는 방법을 설명하시오.

Point 한 물통의 물을 계속해서 다른 물통으로 옮기면 여러 가지 들이를 구할 수 있습니다.

첫째, 5 L 들이 물통에 물을 채우고 3 L 들이 물통으로 옮기는 방법

(1) 5 L 들이 물통에 물을 가득 채워서 3 L 들이 물통으로 옮기면 5 L 들이 물통에는 몇 L의 물이 남습니까?

(2) 3 L 들이 물통을 비운 후 (1)에서 5 L 들이 물통에 남은 물을 3 L 들이 물통으로 옮기고 다시 5 L들이 물통을 가득 채운 후 3 L 들이 물통이 가득 찰 때까지 물을 옮기면 5 L 들이 물통에는 몇 L의 물이 남습니까?

(3) (2)에서 5 L 들이 물통에 남은 물을 빈 3 L 들이 물통이 가득 찰 때까지 옮기면 5 L 들이 물통에는 몇 L의 물이 남습니까?

둘째, 3 L 들이 물통에 물을 채우고 5 L 들이 물통으로 옮기는 방법

(4) 3 L 들이 물통에 물을 가득 채워서 5 L 들이 물통이 가득 찰 때까지 계속해서 옮기면 3 L 들이 물통에는 몇 L의 물이 남습니까?

연습 01 들이가 2 L와 5 L인 물통으로 1 L의 물을 만드는 방법을 설명하시오.

연습 02 들이가 4 L와 7 L인 물통으로 5 L의 물을 만드는 방법을 설명하시오.

단추 3개의 길이는 클립 2개의 길이와 같습니다.

01 단추 4개와 클립 1개를 합한 길이와 단추 1개와 클립 3개를 합한 길이가 같습니다.

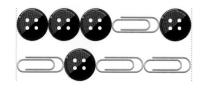

필통의 길이가 단추 4개와 클립 4개의 길이와 같을 때, 필통은 단추 몇 개의 길이와 같은지 구하시오.

6 cm인 부분을 반으로 접어 3 cm를 만듭니다.

02 주어진 종이를 접어서 7 cm를 재는 방법을 설명하시오.

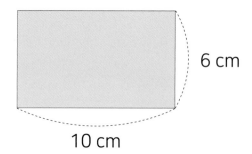

6 cm

10 cm

접는 선

03 양팔저울에 서로 다른 세 개의 추로 무게를 재었더니 11 g을 제외한 1 g부터 12 g까지의 무게를 잴 수 있었습니다. 1개의 추의 무게가 3 g일 때, 나머지 추들의 무게를 구하시오.

세 개의 추로 12 g을 잴 수 있고, 가장 무거운 추와 두 번째로 무거운 추로 10 g를 잴 수 있습니다.

TOP of TOP

04 길이가 12 cm인 리본을 세 조각으로 잘라 1 cm부터 12 cm까지의 길이를 모두 재려고 합니다. 다음 리본을 선을 따라 잘랐을 때, 더 잘라야 하는 부분을 선으로 나타내시오.

남은 두 조각의 길이로 가능한 길이는 (2, 9), (3, 8), (4, 7), (5, 6)입니다.

TOP 사고력 수학

4. 시각, 날짜

유통기한

삼각김밥을 샀는데 유통기한이 지워져 있습니다.

제 조 일 시 간	유 통 기 한 시 간
2019. 12. 14 20시	2019. 12.

인터넷을 찾아보았더니 김밥의 유통기한은 보통 제조시각으로부터 47시간 후까지
입니다. 현재가 2019년 12월 16일 오후 3시일 때 김밥을 먹어도 될지 알아봅시다.

> 하루가 24시간이니 47시간이면 이틀에서
> 1시간이 부족한 시간이네.

지워진 유통기한은 몇 월 며칠 몇 시인지 구하고, 이 김밥을 먹어도 되는지 판단하시오.

삼각김밥의 유통기한을 두 가지 방법으로 해결하면 다음과 같아.

① 12월14일 20시 + 47시간
  = 12월 14일 20시 + 2일 - 1시간
  = 12월 16일 20시 - 1시간
  = 12월 16일 19시

② 12월14일 20시 + 47시간
  = 12월 14일 67시간(- 48시간)
  = 12월 16일 19시

①은 47시간이 2일(48시간)에 1시간이 부족하니까 2일을 더해주고 1시간을 빼는 방법이야. ②는 47시간을 더해주고, 2일을 더하면서 시간에 48시간을 빼는 방법이지.

즉, 12월 16일 오후 7시이고, 현재가 같은 날 오후 3시라면 김밥을 먹어도 되겠지.

🌱 시간의 덧셈, 뺄셈을 계산하시오.

(1)
```
    4  시  47  분
+   3  시  36  분
   ⬚ 시 ⬚ 분
```

(2)
```
    1  시  12  분
+   6  시  49  분
   ⬚ 시 ⬚ 분
```

(3)
```
    8  시  31  분
-   4  시  58  분
   ⬚ 시 ⬚ 분
```

(4)
```
   11  시  13  분
-   5  시  45  분
   ⬚ 시 ⬚ 분
```

12시를 넘어가는 시간의 덧셈과 뺄셈을 계산하는 방법을 알아보자.
두 가지 방법을 알아두면 편리해. 다음 덧셈과 뺄셈을 계산하는 방법을 보자.

첫째, 12시를 기준으로 더하거나 빼는 시간을 갈라서 계산하는 방법

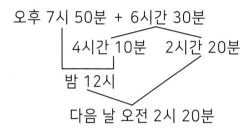

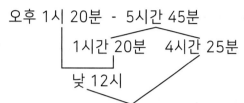

오후 7시 50분 + 6시간 30분
4시간 10분   2시간 20분
밤 12시
다음 날 오전 2시 20분

더하는 시간을 갈라서 밤 12시를 먼저
만들고 남은 시간을 더하면 다음 날 오전

오후 1시 20분 - 5시간 45분
1시간 20분   4시간 25분
낮 12시
12시 - 4시간 25분 = 오전 7시 35분

빼는 시간을 갈라서 낮 12시를 먼저
만들고 남은 시간을 빼면 같은 날 오전

둘째, 12시를 넘어가는 시각에 12를 더하거나 빼서 계산하는 방법

오후 7시 50분 + 6시간 30분

오후	7	시	50	분
+	6	시간	30	분
오후	14	시	20	분
-	12	시		
오전	2	시	20	분

덧셈을 계산한 수가 12를 넘으면
12를 빼고 오전은 오후로,
오후는 다음 날 오전으로 바꿉니다.

오후 1시 20분 - 5시간 45분

오후	1	시	20	분
+	12	시간		
오전	13	시	20	분
-	5	시	45	
오전	7	시	35	분

원래 시각이 빼는 시각보다 작으면
원래 시각에 12를 더해서
오후는 오전의 시각으로,
오전은 하루 전의 오후 시각으로 바꾸고,
뺄셈을 계산합니다.

🌱 오전과 오후 중 올바른 것에 ○표 하고, 시각을 쓰시오.

(1) 오전 6시 40분 + 8시간 30분 = (오전/오후) ☐시 ☐분

(2) 오후 4시 10분 − 7시간 30분 = (오전/오후) ☐시 ☐분

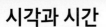 

1 시각과 시간

낮의 길이

1월 1일 제주의 해 뜨는 시각과 해 지는 시각을 조사했더니 다음과 같았습니다.

해 뜨는 시각 : 오전 7시 37분
해 지는 시각 : 오후 5시 28분

이 날 제주의 낮의 길이를 구하시오.

> **Point** 낮의 길이는 해가 떠 있는 시간으로 해 지는 시각에서 해 뜨는 시각을 빼서 구할 수 있습니다.

(1) 해 뜨는 시각에서 12시까지의 시간에 해지는 시각까지의 시간을 더하는 과정입니다. 빈칸에 알맞은 수를 채우시오.

(12시 - 오전 7시 37분) + 오후 5시 28분

= ☐시간 ☐분 + 오후 5시 28분 = ☐시간 ☐분

(2) 해 지는 시각에 12를 더해서 오전을 기준으로 하는 시각으로 바꾸어 낮의 길이를 구하는 과정입니다. 빈칸에 알맞은 수를 채우시오.

```
    오후  5 시   28 분
 +     12 시간
    오전 ☐ 시  ☐ 분
 -  오전  7 시   37 분
      ☐ 시간 ☐ 분
```

 연습

01 서울역에서 부산역까지 기차로 5시간 18분 걸립니다. 서울역에서 기차를 탄 시각이 오전 9시 25분일 때, 부산역에 도착한 시각은 몇 시 몇 분인지 구하시오.

02 준우가 잠든 시각은 오후 10시 40분입니다. 준우가 8시간 30분동안 잠을 잤다면 다음 날 일어난 시각은 몇 시 몇 분인지 구하시오.

03 다음은 서울의 월 평균 해 뜨는 시각과 해 지는 시각을 나타낸 표입니다. 주어진 달의 낮의 길이를 구하여 표를 완성하시오.

	해 뜨는 시각	해 지는 시각	낮의 길이
1월	7시 40분	17시 20분	
3월	6시 50분	18시 40분	
5월	5시 40분	19시 20분	
10월	6시 30분	18시	

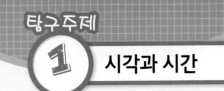

다음은 같은 때의 서울, 런던, 로스앤젤레스의 시각을 나타낸 것입니다.

서울	런던	로스앤젤레스
1월 25일 오후 11시 7분	1월 25일 오후 2시 7분	1월 25일 오전 6시 7분
2월 10일 오전 8시 15분	2월 09일 오후 11시 15분	2월 9일 오후 3시 15분

서울의 시각을 기준으로 런던과 로스앤젤레스의 시각을 살펴봅시다.

(1) 서울의 시각에 몇 시간을 빼면 런던의 시각입니까?

(2) 서울의 시각에 몇 시간을 빼면 로스앤젤레스의 시각입니까?

런던의 시각을 기준으로 서울과 로스앤젤레스의 시각을 살펴봅시다.

(3) 런던의 시각에 몇 시간을 더하면 서울의 시각입니까?

(4) 런던의 시각에 몇 시간을 빼면 로스앤젤레스의 시각입니까?

도시 간에 시각의 차이를 시차라고 해. 예외도 있지만 전세계의 시각은 시차에 따라 시는 다르지만 분은 똑같아.

시차 문제를 풀 때는 한 도시에서 얼마를 더하거나 빼면 다른 도시의 시각이 되는지 먼저 찾아야 해.

한국이 8월 1일 오후 10시 45분일 때 캐나다 밴쿠버는 8월 1일 오전 5시 45분입니다. 한국에서 밴쿠버를 가는 비행기 티켓의 내용이 다음과 같을 때 밴쿠버 현지 도착시각을 구하시오.

인천 ➡ 밴쿠버

출발   비행시간
8월 13일 오후 3시 30분   9시간 50분

Point ▶ 두 도시의 시차를 더하거나 빼서 현지 시각을 구할 수 있습니다.

(1) 밴쿠버의 시각은 한국의 시각에 몇 시간을 빼야 합니까?

(2) 비행기가 출발할 때 밴쿠버의 날짜와 시각을 구하시오.

(3) (2)에 비행시간을 더하여 비행기의 밴쿠버 도착 날짜와 현지시각을 구하시오.

연습

01 보스턴이 9월 1일 오후 12시 25분일 때, 서울은 9월 2일 오전 1시 25분입니다. 9월 3일 오전 11시 15분에 서울에서 보스턴에 살고 있는 친구에게 문자를 했다면 친구가 문자를 받은 날짜와 시각을 구하시오.

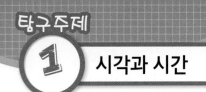

연습
02 다음은 두 도시의 현재 시각입니다. 서울에서 10월 12일 오후 2시에 비행기를 탔고 멕시코시티까지 비행시간이 13시간 35분일 때, 멕시코시티에 도착하는 날짜와 현지시각을 구하시오.

서울	멕시코시티
10월 1일 오후 6시	10월 1일 오전 4시

연습
03 뉴욕, 서울, 하와이의 현지 시각입니다. 빈칸에 알맞은 날짜와 시각을 써넣으시오.

뉴욕	서울	하와이
3월 4일 오전 6시 35분	3월 4일 오후 7시 35분	
	3월 8일 오전 2시 20분	3월 7일 오전 7시 20분
3월 11일 오전 4시 50분		3월 10일 오후 10시 50분

2 날짜와 요일

어느 해의 달력을 보고 여러 가지 규칙을 알아봅시다.

1월

일	월	화	수	목	금	토
		1	2	3	4	5
6	7	8	9	10	11	12
13	14	15	16	17	18	19
20	21	22	23	24	25	26
27	28	29	30	31		

2월

일	월	화	수	목	금	토
					1	2
3	4	5	6	7	8	9
10	11	12	13	14	15	16
17	18	19	20	21	22	23
24	25	26	27	28		

3월

일	월	화	수	목	금	토
					1	2
3	4	5	6	7	8	9
10	11	12	13	14	15	16
17	18	19	20	21	22	23
24/31	25	26	27	28	29	30

4월

일	월	화	수	목	금	토
	1	2	3	4	5	6
7	8	9	10	11	12	13
14	15	16	17	18	19	20
21	22	23	24	25	26	27
28	29	30				

5월

일	월	화	수	목	금	토
			1	2	3	4
5	6	7	8	9	10	11
12	13	14	15	16	17	18
19	20	21	22	23	24	25
26	27	28	29	30	31	

6월

일	월	화	수	목	금	토
						1
2	3	4	5	6	7	8
9	10	11	12	13	14	15
16	17	18	19	20	21	22
23/30	24	25	26	27	28	29

7월

일	월	화	수	목	금	토
	1	2	3	4	5	6
7	8	9	10	11	12	13
14	15	16	17	18	19	20
21	22	23	24	25	26	27
28	29	30	31			

8월

일	월	화	수	목	금	토
				1	2	3
4	5	6	7	8	9	10
11	12	13	14	15	16	17
18	19	20	21	22	23	24
25	26	27	28	29	30	31

9월

일	월	화	수	목	금	토
1	2	3	4	5	6	7
8	9	10	11	12	13	14
15	16	17	18	19	20	21
22	23	24	25	26	27	28
29	30					

10월

일	월	화	수	목	금	토
		1	2	3	4	5
6	7	8	9	10	11	12
13	14	15	16	17	18	19
20	21	22	23	24	25	26
27	28	29	30	31		

11월

일	월	화	수	목	금	토
					1	2
3	4	5	6	7	8	9
10	11	12	13	14	15	16
17	18	19	20	21	22	23
24	25	26	27	28	29	30

12월

일	월	화	수	목	금	토
1	2	3	4	5	6	7
8	9	10	11	12	13	14
15	16	17	18	19	20	21
22	23	24	25	26	27	28
29	30	31				

2월은 마지막 날이 29일일 때도 있어.

(1) 마지막 날이 30일인 달을 모두 쓰시오.

(2) 마지막 날이 28일 또는 29일인 달을 쓰시오.

(3) 같은 요일은 며칠마다 한 번씩 반복되는지 쓰시오.

탐구 유형 2-1   달력의 순서

다음은 연속하는 세 달의 달력입니다. 마지막 달력의 다음 달의 마지막 날이 30일이 아닐 때 차례로 몇 월의 달력인지 쓰시오.

일	월	화	수	목	금	토
		1	2	3	4	5
6	7	8	9	10	11	12
13	14	15	16	17	18	19
20	21	22	23	24	25	26
27	28	29	30			

일	월	화	수	목	금	토
				1	2	3
4	5	6	7	8	9	10
11	12	13	14	15	16	17
18	19	20	21	22	23	24
25	26	27	28	29	30	31

일	월	화	수	목	금	토
1	2	3	4	5	6	7
8	9	10	11	12	13	14
15	16	17	18	19	20	21
22	23	24	25	26	27	28
29	30	31				

Point ▶ 31일로 끝나는 달이 연속하는 것은 일년 중에 2번 있습니다.

(1) 31일로 끝나는 달을 모두 쓰시오.

(2) 31일로 끝나는 달이 연속하는 달을 모두 쓰시오.

(3) 위의 달력이 몇 월인지 차례로 쓰시오.

연습

01 다음은 연속하는 두 달의 달력입니다. 마지막 달력의 다음 달의 마지막 날이 28일도 아니고 29일도 아닐 때 차례로 몇 월의 달력인지 쓰시오.

일	월	화	수	목	금	토
1	2	3	4	5	6	7
8	9	10	11	12	13	14
15	16	17	18	19	20	21
22	23	24	25	26	27	28
29	30	31				

일	월	화	수	목	금	토
			1	2	3	4
5	6	7	8	9	10	11
12	13	14	15	16	17	18
19	20	21	22	23	24	25
26	27	28	29	30	31	

☐ 월   ☐ 월

연습 02 연속하는 세 달의 달력 중 가운데 있는 달력이 찢어졌습니다. 세 달력이 몇 월의 달력인지 쓰시오.

일	월	화	수	목	금	토
			1	2	3	4
5	6	7	8	9	10	11
12	13	14	15	16	17	18
19	20	21	22	23	24	25
26	27	28	29	30	31	

일	월	화	수	목	금	토
						1
2	3	4	5	6	7	8
9	10				14	15

일	월	화	수	목	금	토
	1	2	3	4	5	
6	7	8	9	10	11	12
13	14	15	16	17	18	19
20	21	22	23	24	25	26
27	28	29	30			

[ ]월   [ ]월   [ ]월

연습 03 연속하는 네 달의 달력이 섞여 있습니다. 각각 몇 월의 달력인지 쓰시오.

일	월	화	수	목	금	토
					1	2
3	4	5	6	7	8	9
10	11	12	13	14	15	16
17	18	19	20	21	22	23
24 31	25	26	27	28	29	30

[ ]월

일	월	화	수	목	금	토
					1	2	3
4	5	6	7	8	9	10
11	12	13	14	15	16	17
18	19	20	21	22	23	24
25	26	27	28			

[ ]월

일	월	화	수	목	금	토
					1	2	3
4	5	6	7	8	9	10
11	12	13	14	15	16	17
18	19	20	21	22	23	24
25	26	27	28	29	30	31

[ ]월

일	월	화	수	목	금	토
	1	2	3	4	5	6
7	8	9	10	11	12	13
14	15	16	17	18	19	20
21	22	23	24	25	26	27
28	29	30	31			

[ ]월

2 날짜와 요일

탐구 유형 2-2 **어린이날의 요일은?**

다음은 어느 해 1월의 달력입니다. 1월 31일의 요일을 구하시오.

Point 요일은 7일에 한 번씩 반복됩니다.

(1) 마지막 일요일이 며칠인지 구하시오.

(2) 1월 31일의 요일을 구하시오.

연습

01 오늘은 목요일입니다. 다음 물음에 답하시오.

(1) 14일 후는 무슨 요일인지 구하시오.

(2) 33일 후는 무슨 요일인지 구하시오.

(3) 24일 전은 무슨 요일인지 구하시오.

02 어느 해 5월 1일은 금요일입니다. 5월 30일의 요일을 구하시오.

03 어느 해 11월 달력의 일부분입니다. 다음 달 12월 24일의 요일을 구하시오.

일	월	화	수	목	금	토
			1	2	3	4	5
6	7				11	12
13						

04 어느 해 8월 5일은 일요일입니다. 같은 해 7월 11일의 요일을 구하시오.

2 날짜와 요일

탐구 유형 2-3 **조건에 맞는 달력**

어느 해 7월에 월요일과 금요일이 4번씩 있습니다. 이 해의 광복절(8월 15일)의 요일을 구하시오.

Point 요일 없는 달력에 요일을 넣어서 요일의 개수 조건에 맞는 달력을 완성합니다.

(1) 월요일과 금요일이 4번씩 있도록 다음 요일 없는 달력의 초록색 칸에 알맞은 요일을 써넣으시오.

1	2	3	4	5	6	7
8	9	10	11	12	13	14
15	16	17	18	19	20	21
22	23	24	25	26	27	28
29	30	31				

(2) 8월 1일은 무슨 요일입니까?

(3) 광복절은 무슨 요일입니까?

연습

01 어느 해 3월에 월요일과 토요일이 5번씩 있습니다. 이 해 4월 1일의 요일을 구하시오.

			1	2	3	4
5	6	7	8	9	10	11
12	13	14	15	16	17	18
19	20	21	22	23	24	25
26	27	28	29	30	31	

연습 02 모든 요일이 4번씩 있는 달의 마지막 날은 몇 월 며칠인지 구하시오.

연습 03 어느 해 5월 9일은 월요일입니다. 이 해 6월에 5번씩 있는 요일을 모두 쓰시오.

6월

일	월	화	수	목	금	토

연습 04 어느 해 11월에 월요일은 4번 있고 화요일은 5번 있습니다. 같은 해 12월 10일의 요일을 구하시오.

1	2	3	4	5	6	7
8	9	10	11	12	13	14
15	16	17	18	19	20	21
22	23	24	25	26	27	28
29	30					

TOP 사고력

01 예슬이가 일어나자마자 50분 동안 준비를 하고 집을 나섰습니다. 15분 걸어서 버스를 타고 1시간 20분 동안 이동하여 학교에 9시 50분에 도착했습니다. 예슬이가 일어난 시각을 구하시오.

예슬이가 일어나서 학교에 도착하기까지 걸린 시간을 구합니다.

02 어느 해 9월 달력에서 목요일에서 일요일까지 4일간의 날짜를 더하니 38이었습니다. 이 달의 넷째 수요일은 며칠인지 구하시오.

연속하는 네 개의 수의 합이 38입니다.

9월

일	월	화	수	목	금	토

접는 선

03 어느 해 1월 달력입니다. 작년 크리스마스(12월 25일)의 요일을
구하시오.

요일은 7일씩 반복됩니다.

일	월	화	수	목	금	토
	1	2	3	4	5	6
7	8	9	10	11	12	13
14	15	16	17	18	19	20
21	22	23	24	25	26	27
28	29	30				

TOP of TOP

04 다음은 두 도시의 현재 시각입니다. 인천에서 하노이까지 가는
비행기는 오전 5시 20분부터 1시간 30분 간격으로 하나씩 있고 비
행시간은 4시간 50분입니다.

오전 5시 20분에 1시간 30분을 연속해서 더해 처음으로 오전 9시 이후가 되는 시각을 먼저 구합니다.

인천	하노이
10월 1일 오후 8시	10월 1일 오후 6시

인천 공항에서 10월 9일 오전 9시 이후에 비행기를 타려고 하면
하노이에 도착할 수 있는 가장 빠른 날짜와 시각을 구하시오.

TOP
사고력 쑥쑥

학습주제를 시작할 때 학습 날짜를 기록하면서 전체 학습 진도 상황을 체크해 보세요.

B1	단원	학습 주제	학습 날짜	
연산	1. 곱셈	1 - 1. 덧셈과 곱셈의 관계	월/	일
		1 - 2. 곱셈구구 규칙	월/	일
		1 - 3. 연속수	월/	일
	2. 식 만들기	2 - 1. 식 만들기	월/	일
		2 - 2. 모양이 나타내는 수	월/	일
측정	3. 길이, 무게, 들이	3 - 1. 하나의 단위로 재기	월/	일
		3 - 2. 눈금 없는 측정	월/	일
	4. 시각, 날짜	4 - 1. 시각과 시간	월/	일
		4 - 2. 날짜와 요일	월/	일

1 - 1. 덧셈과 곱셈의 관계 | 01~06

01 보기와 같이 가로 또는 세로로 이웃한 두 식의 합이 14×6이 되는 두 식을 찾아 ⬭로 묶으시오.

보기

11×6	3×6
8×6	9×6
3×6	5×6

12×4	3×6	4×6	10×6
7×6	7×6	8×6	2×6
10×6	6×6	3×5	12×6
3×6	11×6	5×6	9×7

! 유형 1 - 1
덧셈과 곱셈의 관계를 생각합니다.

02 계산 결과가 같은 식끼리 선으로 이으시오.

$7 \times 2 + 7$ •   • 8×2 •   • $12 \times 5 - 12 \times 3$

$10 \times 2 - 2 \times 2$ •   • 4×6 •   • $5 \times 6 - 6$

$9 \times 2 + 3 \times 2$ •   • 12×2 •   • $3 \times 2 + 5 \times 2$

$4 \times 5 + 4$ •   • 7×3 •   • $10 \times 3 - 3 \times 3$

! 유형 1 - 1
간단한 곱셈식으로 나타내고 곱셈식이 같은 것끼리 선으로 연결합니다.

유형1-2
두 자연수의 합이 10인 경우를 모두 찾습니다.

03 합이 10인 두 자연수가 있습니다. 두 자연수를 곱했을 때 가장 큰 곱과 가장 작은 곱을 구하시오.

유형1-2
두 개씩 더해서 나온 두 수의 차이가 가장 작아야 합니다.

04 주어진 숫자 카드를 두 개씩 더해서 나온 두 수를 곱했을 때 가장 큰 곱을 구하시오.

| 4 | 2 | 7 | 5 |

접
는

선

05 각 주머니 안에는 수가 쓰여진 두 개의 공이 들어 있습니다. 주머니 안에 들어 있는 두 수의 합이 같을 때, 두 수의 곱이 가장 큰 주머니에 ○표 하시오.

⚠️ 유형1-2
합이 일정한 두 수의 곱에는 어떤 규칙이 있는지 생각해 봅니다.

두 수의 차: 2

두 수의 차: 8

두 수의 차: 6

두 수의 차: 0

두 수의 차: 4

06 가로, 세로 길이가 같은 24개의 상자를 사각형 모양으로 놓고 끈으로 묶으려고 합니다. 끈이 가장 적게 필요한 모양에 ○표 하시오.

⚠️ 유형1-3
가로와 세로의 합이 가장 작은 모양을 찾습니다.

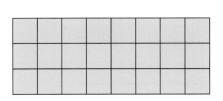

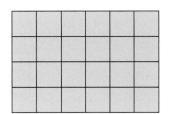

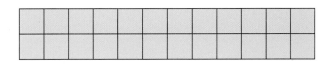

유형2 - 1
ⓛ과 ⓒ의 차가 14이므로 7의 단입니다.

07 다음은 곱셈구구표의 일부입니다. ⓛ과 ⓒ의 차는 14이고, ⓛ은 같은 수를 두 번 곱한 수입니다. ㉠에 들어갈 수를 구하시오.

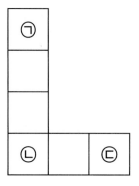

유형2 - 1
곱셈구구표에 한 번만 나오는 수는 곱셈구구표의 대각선에 있는 수의 일부입니다.

08 다음은 곱셈구구표의 일부입니다. 색칠된 칸에 들어가는 수는 곱셈구구표에 한 번만 나오는 짝수입니다. ㉠에 들어갈 수를 구하시오.

접는
선

09 다음은 곱셈구구표의 일부입니다. 색칠된 칸의 두 수의 차는 20이고, 세로줄의 수의 일의 자리 숫자는 5와 0뿐입니다. ㉠에 들어가는 수를 구하시오.

유형2 - 1, 2 - 2
가로줄과 세로줄이 각각 몇의 단인지 구합니다.

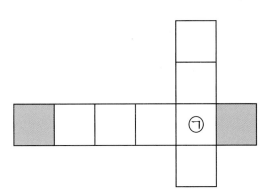

10 다음은 곱셈구구표의 일부를 일의 자리만 나타낸 것입니다. 색칠된 칸에 들어가는 원래의 두 자리 수를 구하시오.

유형2 - 2
가로줄에서 원래의 두 자리 수가 오른쪽으로 얼마만큼 커지는지 구합니다.

0	4	8	2	6

! 유형 3 - 1

방법 1
7개의 연속하는 수를 구
하여 모두 같은 수로 만
들어 구합니다.

방법 2
홀수 개의 연속하는 수의
합은 (가운데 수)×(수의
개수)입니다.

11 가운데 수가 8인 7개의 연속하는 수의 합을 구하시오.

! 유형 3 - 1

각 줄의 쌓기나무 개수는
연속하는 수입니다.

12 쌓기나무를 사용하여 다음과 같은 모양을 만들려고 합니다. 필요
한 쌓기나무의 개수를 곱셈식으로 나타내시오.

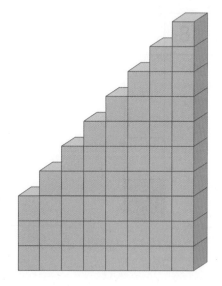

접
는
선

13 어느 달의 달력입니다. 색칠된 날짜의 합을 곱셈식을 이용하여 구하시오.

일	월	화	수	목	금	토
1	2	3	4	5	6	7
8	9	10	11	12	13	14
15	16	17	18	19	20	21
22	23	24	25	26	27	28
29	30					

 일

유형 3 - 1

색칠된 날짜를 둘씩 묶어서 같은 수로 만듭니다.

14 다음 그림에는 규칙이 있습니다. 5번째 모양의 파란색 삼각형의 개수를 곱셈식을 이용하여 구하시오.

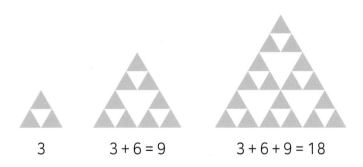

3   3 + 6 = 9   3 + 6 + 9 = 18   …

유형 3 - 1

연속수의 합을 구하는 방법과 같이 모두 같은 수로 만들어 계산합니다.

접는 선

유형 3 - 2
26을 같은 수의 덧셈식
으로 나타냅니다.

15 번호 4개를 눌러야 열리는 자물쇠가 있습니다. 비밀번호는 연속수
이고 번호 4개의 합이 26일 때 자물쇠의 비밀번호를 구하시오.

유형 3 - 2
(가운데 있는 책의 번호)
×(책의 수)＝책의 번호의
합입니다.

16 책꽂이에 책이 번호 순서대로 꽂혀 있습니다. 가운데 있는 책의
번호는 9번이고 꽂혀있는 책의 번호의 합이 45일 때, 책꽂이에 꽂
혀있는 책은 몇 권인지 구하시오.

01 주어진 숫자 카드 중 5장의 숫자 카드를 골라 (세 자리 수) + (두 자리 수)를 만들려고 합니다.

합이 500에 가장 가까운 덧셈식과 그 값을 구하시오.

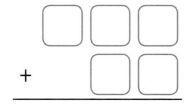

⚠ 유형1
백의 자리 숫자가 4일 때와 5일 때 합이 500에 가까운 식을 구합니다.

02 주어진 숫자 카드로 (두 자리) + (두 자리) 덧셈식을 만들려고 합니다. 조건에 맞게 빈칸을 채우시오.

(1) 합이 가장 큰 식   (2) 합이 가장 작은 식

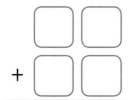   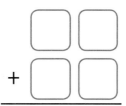

⚠ 유형1
(1) 합이 가장 큰 식의 십의 자리에는 가장 큰 숫자와 두 번째로 큰 숫자가 들어가야 합니다.

(2) 합이 가장 작은 식의 십의 자리에는 0을 제외한 가장 작은 숫자와 두 번째로 작은 숫자가 들어가야 합니다.

접는선

유형 1 - 1
십의 자리 숫자로 알맞은
숫자의 쌍을 찾습니다.

03 주어진 숫자 카드로 (두 자리) − (두 자리) 뺄셈식을 만들려고 합니다. 차가 가장 작은 뺄셈식의 값을 구하시오.

| 2 | 7 | 8 | 9 |

유형 1 - 1
십의 자리에 가장 큰 숫
자와 0을 제외한 가장 작
은 숫자가 들어갑니다.

04 주어진 숫자 카드 중 4장의 숫자 카드를 골라 (두 자리) − (두 자리) 뺄셈식을 만들려고 합니다. 빈칸에 수를 써넣어 차가 가장 큰 뺄셈식의 값을 구하시오.

| 0 | 1 | 2 | 3 | 4 |

접
는

선

05 서로 다른 4장의 숫자 카드를 사용하여 차가 가장 작은 (두 자리) – (두 자리) 뺄셈식을 만들었더니 차가 14입니다. 뒤집어진 카드의 숫자를 구하시오.

⚠ 유형 1 - 2
일의 자리 뺄셈을 할 때 받아내림을 하므로 십의 자리 숫자의 차는 2입니다.

| 5 | 9 | | 7 |

06 서로 다른 4장의 숫자 카드를 사용하여 차가 가장 큰 (두 자리) – (두 자리) 뺄셈식을 만들었더니 차가 68입니다. 뒤집어진 카드의 숫자를 각각 구하시오.

⚠ 유형 1 - 2
일의 자리 뺄셈을 할 때 받아내림 하지 않습니다.

| 9 | | 3 | |

접는 선

유형 2 - 1

백의 자리에는 숫자 1이 들어갑니다.

07 다음 □ 안에 알맞은 숫자를 써넣어 식을 완성하시오.

(1)
```
    □ 8
  +  9 □
  ─────
    □ 2 2
```

(2)
```
    □ 2 □
  -   □ 6
  ─────
      4 9
```

유형 2 - 1

십의 자리 숫자의 합이 8인 경우와 9인 경우를 생각합니다.

08 1부터 9까지의 숫자를 한 번씩 사용하여 식을 만들었습니다. 다음 □ 안에 알맞은 숫자를 써넣으시오.

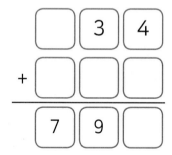

접는 선

09 같은 색에는 같은 숫자가 들어갑니다. 빈칸에 알맞은 숫자를 써넣어 식을 완성하시오.

 유형 2 - 1
일의 자리에 들어갈 수 있는 숫자를 먼저 찾습니다.

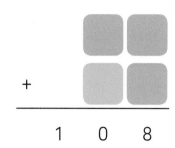

$$+$$
$$1 \quad 0 \quad 8$$

10 다른 모양은 다른 수를 나타냅니다. 모양이 나타내는 수를 구하시오.

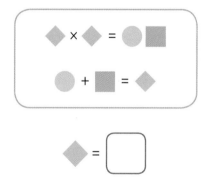 유형 2 - 2
◆ 모양에 한 자리 수를 바꾸어 넣어 봅니다.

유형 2 - 2

두 번째 식에서 ★ = 0이
거나 ■ = 1입니다.

11 다른 모양은 다른 수를 나타냅니다. 다음 중 올바른 것을 모두 찾아
○표 하시오.

$$● - ■ = ■ \qquad ★ × ■ = ★ \qquad ● + ● = ★$$

① ★ = 0

② ■ = 1

③ ■ × ■ = ■

④ ★ × ★ = ★ + ★

⑤ ■ 는 ● 의 절반입니다.

유형 2 - 3

알파벳 C를 세 번 더한
값의 일의 자리가 알파벳
C의 절반인 경우를 구합
니다.

12 다른 문자는 다른 숫자를 나타냅니다. B가 C의 절반일 때, 문자가
나타내는 숫자를 구하시오.

$$
\begin{array}{ccc}
 & B & C \\
 & B & C \\
+ & B & C \\
\hline
A & B & B \\
\end{array}
$$

A = ☐ , B = ☐ , C = ☐

13 다른 문자는 다른 숫자를 나타냅니다. 문자가 나타내는 숫자를 구하여 식을 완성하시오.

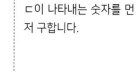
ㄷ이 나타내는 숫자를 먼저 구합니다.

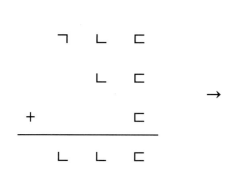

→

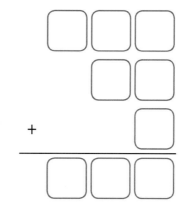

14 다른 문자는 다른 숫자를 나타냅니다. 다음 식의 계산 결과가 가장 클 때, 문자가 나타내는 숫자를 구하시오.

유형2 - 4
㉠이 나타내는 숫자를 먼저 구합니다.

$$㉠㉡ + ㉠㉡ = ㉢㉠$$

$㉠ = \boxed{}$, $㉡ = \boxed{}$, $㉢ = \boxed{}$

접
는
선

15 다른 문자는 다른 숫자를 나타냅니다. 다음 식의 계산 결과가 300
에 가장 가까울 때 문자가 나타내는 숫자를 구하시오.

$$ㄱⓁⒸ + ⓁⒸ$$

ㄱ = ☐, Ⓛ = ☐, Ⓒ = ☐

16 다른 문자는 다른 숫자를 나타냅니다. 다음 식의 계산 결과가 가장
작을 때 문자가 나타내는 숫자를 구하시오.

```
    ㄱ  Ⓒ  Ⓒ
 +     ㄹ  Ⓒ
 ─────────────
    Ⓛ  Ⓛ  ㄹ
```

ㄱ = ☐, Ⓛ = ☐, Ⓒ = ☐, ㄹ = ☐

3 - 1. 하나의 단위로 재기　　|　01~08

01　빨간 색연필과 단추를 사용하여 나무 막대의 길이를 쟀습니다. 막대의 길이는 단추의 길이의 몇 배인지 구하시오.

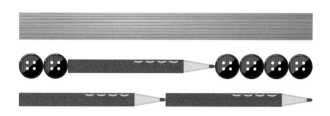

⚠ 유형1 - 1
빨간 색연필의 길이는 단추 길이의 몇 배인지 생각합니다.

02　동생이 계단을 4칸 오를 때 형은 6칸 올라갑니다. 형이 15칸 올라갈 때 동생은 몇 칸 올라가는지 구하시오.

⚠ 유형1 - 1
형은 계단을 6칸씩 2번 반 올라갔습니다.

접는선

유형 1 - 1
상자의 개수는 포장하는 시간의 두 배입니다.

03 상자를 포장하는 기계가 5분 동안 10개의 상자를 포장할 때 20분 동안 몇 개의 상자를 포장하는지 구하시오.

유형 1 - 2
ⓛ 리본만 사용하여 친구들의 손의 길이를 구합니다.

04 다음과 같이 길이가 다른 ㉠, ㉡ 리본을 사용하여 친구들의 손의 길이를 재었습니다. ㉠ 리본의 길이가 ㉡ 리본의 길이의 3배일 때 가장 손이 큰 친구의 이름을 쓰시오.

> 영은: ㉠ 1번, ㉡ 3번　　희수: ㉠ 0번, ㉡ 5번
>
> 정수: ㉠ 2번, ㉡ 2번　　성민: ㉠ 2번, ㉡ 0번

접
는

선

05 다음과 같은 ㉠, ㉡, ㉢ 막대를 여러 개 사용하여 책상의 높이를 재었더니 ㉠ 막대 3개, ㉡ 막대 2개, ㉢ 막대 3개를 나란히 이은 길이와 같았습니다. 책상의 높이는 ㉢ 막대 몇 개와 같은지 구하시오.

유형1-2
㉠ 막대의 길이는 ㉢ 막대의 길이의 몇 배인지 구합니다.

· ㉠ 막대 1개의 길이와 ㉡ 막대 3개의 길이가 같습니다.

· ㉡ 막대의 길이는 ㉢ 막대의 길이의 2배입니다.

06 책의 가로와 세로의 길이를 이용하여 침대의 폭을 재었더니 책의 가로 3번, 세로 3번을 잰 길이와 같았습니다. 책의 세로의 길이가 가로의 길이의 2배일 때 침대의 폭은 책의 가로 길이의 몇 배인지 구하시오.

유형1-2
책의 세로로 1번 잰 길이는 책의 가로로 2번 잰 길이와 같습니다.

접는선

유형 1 - 3
㉠줄의 길이는 ㉡줄의 길이와 ㉢줄의 길이의 합입니다.

07 ㉠줄을 잘라서 ㉡줄과 ㉢줄을 만들었습니다. 우산의 길이를 ㉠줄로 재었더니 4번으로 딱 맞았고, ㉡줄로 재었더니 6번으로 딱 맞았습니다. ㉠줄은 ㉢줄의 몇 배인지 구하시오.

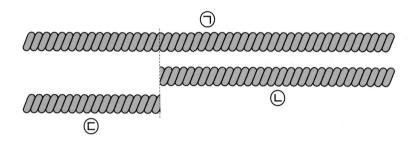

유형 1 - 3
옷걸이 1개의 길이는 붓 1개의 길이와 연필 1자루의 길이의 합과 같습니다.

08 옷걸이의 길이는 붓과 연필의 길이의 합과 같고, 옷걸이로 3번 잰 길이와 붓으로 4번 잰 길이는 같습니다. 옷걸이 1개의 길이는 연필 1자루의 길이의 몇 배인지 구하시오.

09 2 cm, 3 cm, 6 cm 길이의 세 막대를 연결하여 다음과 같은 막대를 만들었습니다. 1 cm에서 11 cm까지의 길이 중 이 연결 막대로 잴 수 없는 길이를 구하시오.

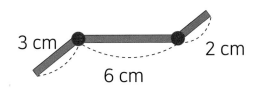

3 cm   2 cm
6 cm

유형 2 - 1
막대의 개수별로 나누어 잴 수 있는 길이를 구합니다.

10 너무 오래되어서 눈금이 지워진 자로 길이를 재려고 합니다. 1 cm 부터 8 cm까지의 길이를 모두 잴 수 있도록 오래된 자에 눈금 하나를 표시하시오.

2 3   5   10

유형 2 - 1
주어진 눈금 만으로 잴 수 없는 길이를 찾습니다.

접는 선

유형 2 - 1
삼각형 모양의 종이를 접지 않았을 때와 한 번 접었을 때를 나누어 순서대로 구합니다.

11 다음 삼각형 모양의 종이를 최대 한 번 접어서 잴 수 있는 길이를 모두 구하시오.

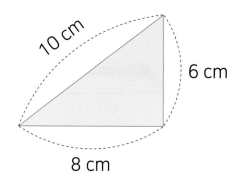

유형 2 - 2
주어진 추로 잴 수 있는 무게를 구합니다.

12 무게가 1 g, 4 g, 5 g인 추와 양팔저울을 사용하여 1 g부터 10 g 까지의 무게 중 잴 수 없는 무게를 구하시오.

접
는
선

13 무게가 1 g, 5 g, 6 g인 추를 사용하여 물건의 무게를 재려고 합니다. 다음 중 잴 수 있는 물건에 모두 ○표 하시오.

! 유형 2 - 2
세 개의 추로 잴 수 있는 무게를 모두 구합니다.

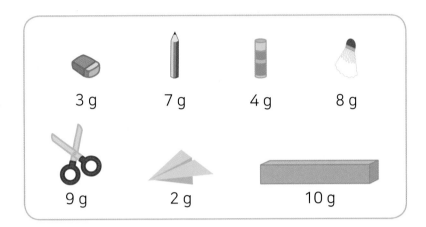

14 주어진 추를 양팔저울의 한쪽 접시에만 올려서 무게를 재려고 합니다. 잴 수 없는 무게에 ×표 하시오.

! 유형 2 - 2
추를 한쪽 접시에만 올리면 무게의 차를 이용할 수 없습니다.

1g 2g 3g 4g 5g 6g 7g 8g 9g

유형 2 - 3

3 L를 가득 채우면서 5 L
로 반복해서 옮기는 방법
과 5 L를 가득 채우면서
3 L로 반복해서 옮기는
방법이 있습니다.

15 들이가 3 L와 5 L인 물통으로 4 L의 물을 만드는 방법을 설명하시오.

유형 2 - 3

4 L를 가득 채우면서 7 L
로 반복해서 옮기는 방법
과 7 L를 가득 채우면서
4 L로 반복해서 옮기는
방법이 있습니다.

16 들이가 4 L와 7 L인 물통으로 6 L의 물을 만드는 방법을 설명하시오.

접
는
선

4 - 1. 시각과 시간 | 01~08

01 가족들과 캠핑을 다녀오는데 38시간이 걸렸습니다. 집에서 출발한 날짜와 시각이 8월 17일 오전 7시일 때 집에 도착한 날짜와 시각을 구하시오.

! 유형1 - 1
12시를 기준으로 계산하거나 12시간이 넘어가는 시각으로 나타내어 계산합니다.

02 9월 27일 독도의 낮의 길이는 11시간 59분입니다. 같은 날 독도의 해 뜨는 시각이 오전 6시 8분이었을 때 해 지는 시각을 구하시오.

! 유형1 - 1
해 지는 시각은 해 뜨는 시각과 낮의 길이의 합입니다.

접는 선

유형 1-1
(출발 시각) + (걸리는 시간) = (도착 시각)입니다.

03 다음은 서울역에서 동대구역으로 가는 기차를 조사한 것입니다. 빈칸을 알맞게 채우시오.

기차	걸리는 시간	출발 시각	도착 시각
KTX		오후 12시 40분	오후 2시 22분
새마을호	3시간 35분	오전 11시 45분	
무궁화호	4시간 16분		오후 3시 30분

유형 1-1
11시간 12분에서 8시간 28분을 뺀 나머지를 먼저 구합니다.

04 오후 8시 28분까지 11시간 12분 동안 비가 내렸습니다. 비가 내리기 시작한 시각을 구하시오.

접는 선

05 다음은 두 도시의 현재 시각입니다. 워싱턴에서 2월 20일 오후 4시 10분에 야구 경기를 방송할 때 서울에서 이 야구 경기를 볼 수 있는 날짜와 시각을 구하시오.

서울	워싱턴
2월 9일 오후 10시	2월 9일 오전 8시

! 유형1-2
미국의 시각은 서울의 시각에서 얼마를 빼야 하는지 구합니다.

06 다음은 두 도시의 현재 시각입니다. 베를린에서 7월 1일 오전 10시부터 4시간동안 마라톤 대회를 합니다. 이 마라톤 대회가 끝날 때 서울의 시각을 구하시오.

서울	베를린
3월 4일 오전 10시	3월 4일 오전 2시

! 유형1-2
마라톤이 시작할 때 서울의 시각을 먼저 구합니다.

접
는

선

! 유형1 - 2

파리의 시각은 인천의 시
각에서 얼마를 빼야 하는
지 구합니다.

07 인천이 5월 25일 오전 3시 20분일 때 파리는 5월 24일 오후 7시 20분입니다. 한국에서 파리로 가는 비행기 티켓이 다음과 같을 때 비행시간을 구하시오.

인천	파리
출발 6월 2일 오후 10시 30분	도착 (현지 시각) 6월 3일 오전 3시 50분

! 유형1 - 2

LA의 시각에서 얼마를
더하면 서울의 시각이 되
는지 구합니다.

08 LA의 시각이 오전 2시 50분일 때 서울은 같은 날 오후 7시 50분입니다. 3월 7일 오후 10시에 LA에서 서울에 사는 친구에게 전화를 걸었다면 친구가 전화를 받은 날짜와 시각을 구하시오.

접는
선

09 연속하는 네 달의 달력이 섞여 있습니다. 각각 몇 월인지 구하시오.

● 유형 2 - 1
달력의 순서를 먼저 구합니다.

일	월	화	수	목	금	토
	1	2	3	4	5	6
7	8	9	10	11	12	13
14	15	16	17	18	19	20
21	22	23	24	25	26	27
28	29	30				

□ 월

일	월	화	수	목	금	토
	1	2	3	4	5	
6	7	8	9	10	11	12
13	14	15	16	17	18	19
20	21	22	23	24	25	26
27	28	29	30			

□ 월

일	월	화	수	목	금	토
						1
2	3	4	5	6	7	8
9	10	11	12	13	14	15
16	17	18	19	20	21	22
23 30	24 31	25	26	27	28	29

□ 월

일	월	화	수	목	금	토
			1	2	3	4
5	6	7	8	9	10	11
12	13	14	15	16	17	18
19	20	21	22	23	24	25
26	27	28	29	30	31	

□ 월

10 어느 해의 2월 달력에 물을 쏟았습니다. 2월 28일의 요일을 구하시오.

● 유형 2 - 2
요일은 7일에 한 번씩 반복됩니다.

유형2-2

요일은 7일에 한 번씩 반복됩니다.

11 다음은 어느 해 2월의 달력입니다. 다음 달 3월 25일의 요일을 구하시오.

일	월	화	수	목	금	토
				1	2	3
4	5	6	7	8	9	10
11	12	13	14	15	16	17
18	19	20	21	22	23	24
25	26	27	28			

유형2-2

5월 31일의 요일을 구하고 5월 31일에서 몇 일 전이 5월 18일인지 구합니다.

12 다음은 어느 해 6월 달력입니다. 같은 해 5월 18일의 요일을 구하시오.

일	월	화	수	목	금	토
						1
2	3	4	5	6	7	8
9	10	11	12	13	14	15
16	17	18	19	20	21	22
23/30	24	25	26	27	28	29

접는 선

유형 2 - 3

찢어진 달력이 몇 월인지 구합니다.

13 어느 달의 달력이 찢어졌습니다. 다음 달 둘째 화요일은 몇 월 며칠인지 구하시오.

14 어느 해 9월에 금요일이 5번 있고, 토요일이 4번씩 있습니다. 같은 해 10월 23일의 요일을 구하시오.

유형 2 - 3

요일 없는 달력에 요일을 넣어 조건에 맞는 달력을 찾습니다.

					1	2
3	4	5	6	7	8	9
10	11	12	13	14	15	16
17	18	19	20	21	22	23
24	25	26	27	28	29	30

유형2-3

요일 없는 달력에 요일을 넣어 조건에 맞는 달력을 찾습니다.

15 어느 해 4월에 월요일은 5번 있고 일요일은 4번 있습니다. 다음 달 5월 5일의 요일을 구하시오.

			1	2	3	4
5	6	7	8	9	10	11
12	13	14	15	16	17	18
19	20	21	22	23	24	25
26	27	28	29	30		

유형2-3

요일 없는 달력에 요일을 넣어 조건에 맞는 달력을 찾습니다.

16 어느 해 1월에 화요일과 일요일은 5번씩 있습니다. 다음 달 2월 24일의 요일을 구하시오.

1	2	3	4	5	6	7
8	9	10	11	12	13	14
15	16	17	18	19	20	21
22	23	24	25	26	27	28
29	30	31				

접는 선

예비 활동 가이드

 만능 달력

 4단원 76쪽 날짜와 요일 - 2 - 3. 조건에 맞는 달력

활동 자료 1의 만능 달력을 만들어 봅시다. 만능 달력으로 주어진 조건을 만족하는 달력을 만들 수 있고 본문의 문제를 해결할 때 활용할 수도 있습니다.

만능 달력 만들기

준비물 - 활동 자료 1

<활동 방법>

① 활동 자료 1의 자르는 선을 따라 활동지 ㉠, ㉡을 자릅니다.

② 활동지 ㉠ 큰 구멍에 활동지 ㉡의 날짜가 보이도록 활동지 ㉠, ㉡을 겹칩니다.

③ 활동지 ㉠은 그대로 놓고 활동지 ㉡을 좌우로 움직여 달력을 만듭니다.

조건에 맞는 달력

준비물 - 활동 자료 1

<활동 목표>

만능 달력을 이용하여 주어진 조건을 만족하는 달력을 만들어 문제를 해결합니다.

<활동 방법>

만능 달력을 이용하여 다음 물음에 답하시오. 단, 마지막 날이 30일인 달은 31일이 없다고 생각하고 문제를 해결합니다. (정답은 이 책의 28쪽)

(1) 어느 해 1월에 금요일과 일요일이 5번씩 있습니다. 1월 10일의 요일을 구하시오.

(2) 어느 해 7월 15일은 화요일입니다. 다음 달 8월 1일의 요일을 구하시오.

(3) 어느 해 4월의 목요일에는 홀수가 3번 있습니다. 같은 해 5월 19일의 요일을 구하시오.

(4) 어느 9월에 수요일인 두 날짜의 합이 27입니다. 같은 해 8월 16일의 요일을 구하시오.

정답

1. 곱셈

9쪽

생각열기

덧셈을 곱셈으로

위 곱셈식의 빈칸에 알맞은 한 자리 수를 써넣으시오.

18+24= 6 × 7

10쪽

🏆 다음은 곱셈구구표의 일부입니다. 색칠된 칸의 수의 합을 곱셈식으로 나타내시오.

(1) 7 × 9

(2) 9 × 5

[풀이]

(1) 7을 4개 더하고, 7을 5개 더한 수의 합은 7을 9개 더한 것과 같습니다.

7×2+7×5=7×9

(2) 4을 2개 더하고, 4을 3개 더한 수의 합은 4을 5개 더한 것과 같고, 5를 2개 더하고, 5를 3개 더한 수의 합은 5를 5개 더한 것과 같습니다. 4 5개의 합과 5 5개의 합은 마찬가지로 5 9개의 합과 같습니다.

4×2+4×3+5×2+5×3=4×5+5×5=5×9

11쪽

다음은 곱셈구구표의 일부입니다. 색칠된 칸의 수의 차를 곱셈식으로 나타내시오.

49-21 = 7 × 4

[풀이]

7을 7개 더한 것에 7을 3개 더한 것을 빼면 7을 4개 더한 것과 같습니다.

7×7-7×3=(7+7+7+7+7+7+7)-(7+7+7)=7+7+7+7=7×4

🏆 다음은 곱셈구구표의 일부입니다. 색칠된 칸의 차를 곱셈식으로 나타내시오.

(1) 3 × 3

(2) 8 × 5

[풀이]

(1) 3×5-3×2=(3+3+3+3+3)-(3+3)=3×3

(2) 8×9-8×4=(8+8+8+8+8+8+8+8+8)-(8+8+8+8)
= 8×5

12쪽

탐구주제

1 덧셈과 곱셈의 관계

탐구 유형1-1 | 곱셈 가르기

[정답]

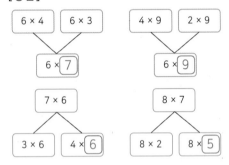

[풀이]

· 6×4와 6×3을 모으면 6을 7개 더한 것과 같습니다.

· 4×9와 2×9를 모으면 9를 6개 더한 것과 같습니다.

· 7×6은 6 3개와 6 4개로 가를 수 있습니다.

· 8×7은 8 2개와 8 5개로 가를 수 있습니다.

연습 01

[정답]

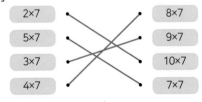

[풀이]

×7을 공통으로 가지고 있으므로 7이 똑같이 몇 개 더해진 식으로 생각하면 7과 곱해진 수의 합이 12가 되어야 합니다.

[정답] $\boxed{8}$ ×9- $\boxed{3}$ ×9= $\boxed{5}$ × $\boxed{9}$ = $\boxed{45}$

[풀이]

8개의 구슬이 들어 있는 주머니에서 구슬을 3개 빼면 5개의 구슬이 남습니다. 따라서 5개의 구슬이 들어 있는 주머니의 개수가 9개이므로 남아있는 구슬의 개수는 5×9=45입니다.

13쪽

탐구 유형1-2   합이 같은 두 수의 곱

[정답]

(1) 1과 11, 2와 10, 3과 9, 4와 8, 5와 7, 6과 6

(2) 가장 큰 곱: 36,   가장 작은 곱: 11

[풀이]

합이 일정한 두 수의 차이가 작을수록 두 수의 곱은 커집니다.

01

[정답] 56

[풀이]

합이 15인 두 수 중 두 수의 차이가 가장 작은 두 수는 7과 8입니다. 따라서 가장 큰 곱은 7×8=56입니다.

02

[정답] 30

[풀이]

숫자 카드를 두 개씩 더해서 나온 두 수의 차가 가장 작은 수는 5(=2+3)와 6(=1+5)입니다.

14쪽

탐구 유형1-3   곱이 일정한 두 수의 합

[정답]

(1) ㉠ - $\boxed{26}$ 배   ㉡ - $\boxed{16}$ 배   ㉢ - $\boxed{14}$ 배

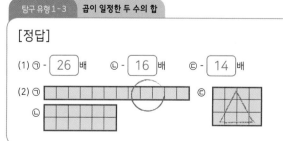

01

[정답] 4와 5

[풀이]

곱이 20인 두 수는 1과 20, 2와 10, 4와 5입니다. 이 중 두 수의 합이 가장 작은 두 수는 4와 5입니다.

02

[정답] 16

[풀이]

가로줄과 세로줄의 수의 차이가 작을수록 리본의 길이가 작습니다. 가로줄과 세로줄을 4개씩 놓았을 때 가장 짧은 리본으로 묶을 수 있습니다. 따라서 리본의 길이는 4+4+4+4=16입니다.

탐구 주제
② 곱셈구구 규칙

15쪽

㉠과 ㉡에 알맞은 수를 쓰시오.

(1) ㉠ = 28   (2) ㉡ = 27

[풀이]
곱셈구구표를 점선을 따라 접으면 겹치는 부분에 있는 수는 서로 같습니다.

16쪽

탐구 유형2-1   곱셈구구표 규칙

[정답]

(1) $\boxed{9}$ × $\boxed{9}$ = $\boxed{81}$ 개 (2) $\boxed{5}$ × $\boxed{5}$ = $\boxed{25}$ 개 (3) 56 개

[풀이]

(1) 가로줄과 세로줄에 있는 수의 개수를 곱하여 전체의 개수를 구합니다.

(2) (홀수)×(홀수)=(홀수)의 성질을 이용하여 가로줄과 세로줄에 있는 홀수의 개수를 곱합니다.

(3) 전체 수에서 홀수를 빼면 짝수가 됩니다.
    81-25=56

17쪽

 01

[정답]

(1) 1, 4, 9, 16, 25, 36, 49, 64, 81

(2) 1, 4, 9, 16, 25, 36, 49, 64, 81

(3) 1, 25, 49, 64, 81

[풀이]

(1) 15쪽의 빨간색 점선을 지나는 칸의 수가 같은 수 2개를 곱한 수입니다.

(2) 같은 수를 곱한 값을 제외한 곱셈은 순서를 바꾼 것도 곱셈구구표에 있기 때문에 짝수 개 있습니다. 같은 수를 곱한 수의 곱셈 결과는 홀수 개 있습니다.

(3) 같은 수를 곱한 값 중에서 찾으면 됩니다.

 02

[정답]

(1) 4의 단

(2) 5의 단

(3) ㉠= 8 , ㉡= 20 , ㉢= 40

[풀이]

(1) ㉠, ㉡의 차는 12이고, 3칸 떨어져있으므로 4씩 뛰어센 것입니다. 따라서 4의 단 곱셈입니다.

(2) ㉡, ㉢의 차는 20이고, 4칸 떨어져있으므로 5씩 뛰어센 것입니다. 따라서 5의 단 곱셈입니다.

(3) 가로줄은 4의 단이고, 세로줄은 5의 단이므로 가로줄과 세로줄이 만나는 ㉡은 4×5=20입니다. 차를 이용하면 ㉠은 8, ㉢은 40입니다.

18쪽

탐구 유형 2-2   일의 자리 숫자 관찰

[정답] (1) 8 (2) 8의 단 (3) 48

 01

[정답]

(1)

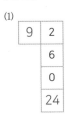

(2)

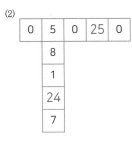

[풀이]

(1) 세로줄은 4씩 뛰어센 것이고, 4의 단 곱셈구구에서 0으로 끝나는 수는 4×5=20입니다. 따라서 2로 끝나는 수는 4×3=12이고, 그 왼쪽은 3×3=9입니다.

(2) 세로줄은 3씩 뛰어센 것이고, 가로줄은 5씩 뛰어센 것입니다. 따라서, 세로줄의 빈칸은 3×8=24, 가로줄의 빈칸은 5×5=25입니다.

19쪽

 02

[정답]

(1) 1의 단, 3의 단, 7의 단, 9의 단

(2) 3의 단

(3) 9의 단

 03

[정답]

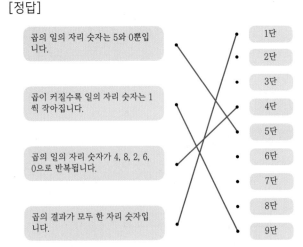

탐구 주제
3 연속수

탐구 유형 3-1 연속수의 합

[정답]

(1) 1+2+3+4+5= 3 + 3 + 3 + 3 + 3

= 3 × 5 = 15

(2) 1+2+3+4+5+6= 7 + 7 + 7

= 7 × 3 = 21

01

[정답]

(1) 7+8+9 = 8 + 8 + 8

= 8 × 3 = 24

(2) 2+3+4+5+6+7= 9 + 9 + 9

= 9 × 3 = 27

[풀이]

(1) 연속하는 수의 개수가 홀수 개이므로 가운데 수인 8로 모두 바꿉니다.

(2) 연속하는 수의 개수가 짝수 개이므로 둘씩 짝지어 모두 9로 바꿉니다.

02

[정답] 35

[풀이]

색칠된 날짜는 연속하는 수입니다. 연속하는 수의 개수가 홀수 개이므로 가운데 수인 7로 모두 바꾸어 계산합니다.
따라서 7+7+7+7+7=7×5=35입니다.

03

[정답]

1+3+5+7+9= 5 + 5 + 5 + 5 + 5

= 5 × 5 = 25

[풀이]

연속하는 수의 합을 구하는 것과 같은 방법으로 수의 개수가 홀수 개이므로 가운데 수인 5로 모두 바꾸어 계산합니다.

04

[정답] 2 + 4 + 6 + 8 = 10×2=20

10
10

[풀이]

한 자리 짝수는 2, 4, 6, 8이고, 둘씩 짝지으면 10이 2쌍입니다.

탐구 유형 3-1 연속수의 합

[정답]

(1) 35= 7 + 7 + 7 + 7 + 7

= 5 + 6 + 7 + 8 + 9

(2) 18= 9 + 9 + 4 + 4 + 5 + 5

= 3 + 4 + 5 + 6

01

[정답]

(1) 50= 10 + 10 + 10 + 10 + 10

= 8 + 9 + 10 + 11 + 12

(2) 21= 7 + 7 + 7

= 3 + 3 + 3 + 4 + 4 + 4

= 1 + 2 + 3 + 4 + 5 + 6

02

[정답] 8

[풀이]

72는 8을 9번 더한 값이므로 72=8+8+8+8+8+8+8+8+8=4+5+6+7+8+9+10+11+12입니다. 따라서 가운데 수는 8입니다.

[다른 풀이]

홀수 개의 연속하는 수의 합은 (연속하는 수의 개수)×(가운데 수)입니다.

03

[정답] 8쪽

[풀이]

27=9+9+9=4+4+4+5+5+5=2+3+4+5+6+7이므로 내일은 8쪽부터 읽어야 합니다.

24쪽

 TOP 사고력

01

[정답] 24

[풀이]

1번 조건에서 ㉠과 ㉡의 차이가 24이고, ㉠과 ㉡은 3칸 떨어져 있으므로 세로줄은 8의 단입니다.

2번 조건에서 ㉡에 들어가는 수는 2×8+4×8=6×8=48이므로 가로줄과 세로줄이 만나는 칸에 들어가는 수는 4×8=32이고, 색칠된 칸에 들어가는 수는 4×6=24입니다.

02

[정답]

일	월	화	수	목	금	토
1	2	3	4	5	⑥	⑦
⑧	⑨	⑩	⑪	⑫	13	14
15	16	17	18	19	20	21
22	23	24	25	26	27	28
29	30	31				

[풀이]

같은 수를 7번 더해서 63이 되는 수는 9입니다. 따라서 63=9+9+9+9+9+9+9=6+7+8+9+10+11+12입니다.

25쪽

03

[정답] 28

[풀이]

가로줄은 1의 단이므로 연속하는 5개의 수의 합이 30입니다. 30은 6을 5번 더한 수이므로
30=6+6+6+6+6=4+5+6+7+8입니다.
가로줄의 네 번째 칸에 들어가는 수는 7이고, 파란색 칸은 7의 단에서 네 번째 칸입니다. 파란색 칸에 들어가는 수는 7×4=28입니다.

04

[정답] 49

[풀이]

7번째 모양의 바둑돌의 개수는 1+3+5+7+9+11+13입니다. 연속수의 합을 구하는 방법과 마찬가지로 모두 가운데 수인 7로 바꾸어 계산합니다.

[다른 풀이]

각 모양의 바둑돌의 개수는 한 줄에 있는 바둑돌의 개수를 2번 곱한 것과 같습니다. 첫 번째 모양의 한 줄에 있는 바둑돌의 개수는 1개, 두 번째 모양의 한 줄에 있는 바둑돌의 개수는 2개, 세 번째 모양의 한 줄에 있는 바둑돌의 개수는 3개이므로 7번째 모양의 한 줄에 있는 바둑돌의 개수는 7개이고, 7번째 모양의 바둑돌의 개수는 7×7입니다.

2. 식 만들기

생각열기

200에 가장 가까운 식

217보다 200에 더 가까운 덧셈식을 찾아보시오.

```
    1 5 3
+     4 2
    1 9 5
```

🌱 주어진 숫자 카드 중에서 5장의 숫자 카드를 골라 (세 자리 수) + (두 자리 수)를 만들려고 합니다. 조건에 맞게 빈칸을 채우시오.

[0] [1] [2] [3] [4] [5]

(1) 두 수의 합이 가장 큰 식

```
  [5] [4] [2]
+     [3] [1]
  5 7 3
```

(2) 두 수의 합이 가장 작은 식

```
  [1] [0] [3]
+     [2] [4]
  1 2 7
```

(3) 두 수의 합이 300에 가까운 식

```
  [2] [5] [3]
+     [4] [1]
  2 9 4
```

(4) 두 수의 합이 400에 가까운 식

```
  [3] [5] [2]
+     [4] [1]
  3 9 3
```

[풀이]

(1) 백의 자리에 가장 큰 숫자, 십의 자리에 다음으로 큰 숫자를 넣어 식을 만듭니다.

(2) 백의 자리에 0이 아닌 가장 작은 숫자, 십의 자리에 0을 포함한 가장 작은 숫자를 넣어 식을 만듭니다.

(3) 백의 자리에 2 또는 3을 넣어 어느 식이 300에 더 가까운지 비교합니다.

(4) 백의 자리에 3 또는 4를 넣어 어느 식이 400에 더 가까운지 비교합니다.

십의 자리 숫자끼리 또는 일의 자리 숫자끼리 위치는 바뀔 수 있습니다.

탐구주제

1 식 만들기

탐구 유형 1-1   차가 가장 작은 식

[정답]

(1) (3, 4), (7, 8)

(2)

```
  [4] [0]        [8] [0]
- [3] [8]      - [7] [4]
    2              6
```

(3) 2

[풀이]

차가 작은 뺄셈식은 첫째, 가장 큰 자리에 차가 가장 작은 숫자를 넣습니다. 둘째, 남은 숫자 중 빼는 수는 크게, 빼어지는 수는 작게 만듭니다.

가장 큰 자리에 들어갈 수 있는 숫자가 여러 가지인 경우는 각각을 계산해 보고 비교해 봐야 합니다.

01

[정답] 77

[풀이]

주어진 숫자 카드로 만들 수 있는 수 중 가장 큰 수와 가장 작은 수로 차가 가장 큰 뺄셈식을 만들 수 있습니다. 차가 가장 큰 식은 87-10입니다.

02

[정답]

```
  [3] [5]
- [2] [8]
```

[풀이]

주어진 숫자 카드 중 차가 가장 작은 두 개의 숫자 카드를 십의 자리에 넣고, 남은 숫자 중 빼는 수를 크게, 빼어지는 수를 작게 만듭니다.

[정답]

(1)
	4	3
-	1	2
	3	1

(2)
	3	1
-	2	4
		7

[풀이]

(1) 주어진 숫자 카드로 만들 수 있는 가장 큰 수 43과 가장 작은 수 12로 차가 가장 큰 식을 만듭니다.

(2) 십의 자리에 들어갈 수 있는 숫자 3쌍은 (1, 2), (2, 3), (3, 4)입니다. 이 중 차가 가장 작은 식은 31-24입니다.

31쪽

탐구 유형 1-2 뒤집어진 숫자 카드

[정답]

(1) 8

(2) 2

(3) 5,
	7	1
-	5	9
	1	2

[풀이]

(1) 빼는 숫자가 더 크기 때문에 일의 자리의 뺄셈은 (십 몇)-몇입니다. 뺄셈의 결과가 2가 되려면 일의 자리 숫자끼리 차가 8입니다.

(2) 일의 자리로 받아내림을 하기 때문에 십의 자리 숫자의 차는 2입니다.

(3) 일의 자리에는 1과 9가 들어가야 하고, 남은 7로 차가 2인 숫자 카드를 찾으면 5가 됩니다.

01

[정답] 2

[풀이]

십의 자리 숫자의 차는 1이고, 일의 자리 숫자의 차는 4입니다. 따라서 일의 자리에 들어갈 숫자는 4와 8이고, 십의 자리에 들어갈 숫자는 1과 2입니다.

32쪽

02

[정답] 7

[풀이]

뒤집어진 카드의 숫자가 5보다 작으면 합이 크게 하기 위해서 십의 자리가 될 수 있는 숫자는 9와 5입니다. 이때는 합이 167이 될 수 없습니다. 뒤집어진 카드의 숫자가 5보다 크면 9와 더해서 167이 되도록 하는 십의 자리 숫자는 7입니다.

03

[정답]

	8	7
-	2	4
	6	3

[풀이]

(가장 큰 수) - (가장 작은 수)가 되도록 합니다. 이 때 7은 빼어지는 수의 일의 자리 숫자, 2는 빼는 수의 십의 자리 숫자가 됩니다.

33쪽

탐구 주제

2 모양이 나타내는 수

A, B, C, D가 나타내는 숫자를 구하시오.

A= 5 , B= 9 , C= 1 , D= 0

[풀이]

일의 자리에 A, A, B를 더해서 일의 자리 숫자가 B가 되려면 A는 0 또는 5입니다. 다른 자리를 고려하면 A는 5입니다.

💬 다음 식에서 글자가 나타내는 숫자를 구하시오.

$$A+A+A+A+A+A+A+A+A=BA$$

A= 5 , B= 4

[풀이]

A를 9번 더한 값은 A에 9를 곱한 값과 같습니다.

따라서 9×A=BA를 만족하는 숫자를 찾습니다.

탐구 유형 2-1 　 **벌레 먹은 셈**

[정답]

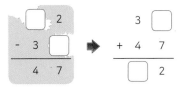

[풀이]

(2) 뺄셈식을 유독 어려워 할 경우에는 덧셈식으로 바꾸어서 푸는 것도 좋은 방법입니다.

 01

[정답]

(1)
```
    7 [5]
+  [6] 8
---------
 [1] 4  3
```

(2)
```
    4 [1]
+ [3] 7  4
---------
   4  1  5
```

(3)
```
   3  4 [0]
-  [7] 8
---------
  [2] 6  2
```

(4)
```
  [1] 0  3
-    1 [7]
---------
   8  6
```

[풀이]

(3)번과 (4)번의 경우 뺄셈식을 덧셈식으로 바꾸어 계산할 수 있습니다.

02

[정답] (1) 9　(2) 26

[풀이]

합의 일의 자리 숫자가 9이므로 일의 자리 숫자 ⓒ과 ⓔ의 합은 9 또는 19입니다. 한 자리 수의 합은 18보다 클 수 없으므로 ⓒ과 ⓔ의 합은 9입니다. 십의 자리 숫자 ⑤과 ⓒ의 합은 17입니다.

03

[정답]

[풀이]

백의 자리에는 1이 들어가야 합니다. 일의 자리에 들어갈 두 숫자의 합은 7 또는 17입니다.

십의 자리 숫자끼리 또는 일의 자리 숫자끼리 위치는 바뀔 수 있습니다.

탐구 유형 2-2 　 **모양이 나타내는 수**

[정답]

(1) ◆

(2) ●=[3]，　◆=[2]，　▲=[4]，　★=[6]

[풀이]

수를 2개 곱한 값과 2개 더한 값이 같은 수는 2입니다.

01

[정답] ◆=[6]

[풀이]

별 모양이 나타내는 수를 가장 먼저 구합니다.

★=3, ●=0, ◆=6

02

[정답] ★=[4]，　◆=[3]，　■=[1]，　●=[2]，　▲=[0]

[풀이]

▲+●=● 이므로 ▲는 0입니다.

■×■=■ 이므로 ■는 1입니다.

서로 다른 모양은 0에서 4까지의 다른 수를 나타내므로 두 번째 식 ■+◆=★ 을 만족하는 ◆와 ★이 나타내는 수를 구합니다.

03

[정답] ●= 1 , ◆= 3 , ■= 5 , ★= 6

[풀이]

★×★=◆★를 만족하는 ★은 5 또는 6입니다. ■+■+■=●■를 만족하는 ■는 5이므로 ★는 6입니다. 따라서 ●는 1이고 ◆는 3입니다.

38쪽

탐구 유형 2-3 **덧셈 복면산**

[정답]

(1) 1

(2) 9

(3)

	9	9
+		2	2
	1	2	1

[풀이]

십의 자리 숫자를 더해 받아올림한 수는 1입니다.

 01

[정답]

(1) A= 1 , B= 5 , C= 0

(2) A= 1 , B= 9 , C= 0

[풀이]

(1) 두 자리 수 두 개의 합은 200보다 작으므로 A는 1입니다. 일의 자리에서 B, C를 더해서 일의 자리가 B가 되었으므로 C는 0입니다. 따라서 십의 자리에서 B+B=10입니다.

(2) 백의 자리의 숫자 A는 1입니다. 십의 자리에서 백의 자리로 받아올림 하려면 B는 9, C는 0이 됩니다.

39쪽

 02

[정답] A= 1 , B= 9 , C= 8 , D= 0

[풀이]

십의 자리 숫자를 더해 받아올림한 수는 1이므로 A는 1입니다. C는 8 또는 9인데 D가 1이 될 수 없으므로 C는 8, B는 9가 됩니다.

 03

[정답]

(1) ㄱ= 4 , ㄴ= 6 , ㄷ= 1

(2) ㄱ= 1 , ㄴ= 5 , ㄷ= 0

(3) ㄱ= 1 , ㄴ= 4 , ㄷ= 7

[풀이]

(1) 일의 자리에서 ㄱ과 ㄴ의 합이 10이 됩니다. 따라서 일의 자리와 십의 자리의 계산은 받아올림이 생기고, 식의 계산 결과의 백의 자리 숫자가 5이므로 ㄱ은 4입니다. ㄴ은 6입니다.

(2) ㄷ+ㄷ+ㄱ=ㄱ이므로 ㄷ은 0 또는 5입니다. ㄴ을 세 번 더한 값의 일의 자리 숫자가 ㄴ이므로 ㄴ은 5입니다.

(3) ㄱ이 1이면 ㄷ은 7입니다. 이때 ㄴ은 4입니다. ㄱ이 2이면 ㄷ은 4입니다. 이때 알맞은 ㄴ은 없습니다.

40쪽

탐구 유형 2-4 **가장 큰 수, 작은 수**

[정답] (1) 1 (2) 303

[풀이]

(1) 십의 자리에서 받아올림한 수는 1이므로 ㉣은 ㉡보다 1큰 수입니다. 일의 자리에서 ㉡+㉠=㉣이므로 ㉠은 1입니다.

(2) ㉠= 1, ㉡= 2, ㉢= 9, ㉣=3, ㉤=0입니다.

01

[정답] ⑦= 3 , ⑥= 6 , ⓒ= 9

[풀이]

계산 결과가 커야하기 때문에 ⑦에 9, 8, 7, …을 차례로 넣어 봅니다. ⑦이 9, 8, 7이면 식의 값이 세 자리 수가 됩니다. ⑦이 6일 때 ⑥은 2, ⓒ은 9가 되어서 합이 92입니다. ⑦이 3일 때 ⑥은 6, ⓒ은 9가 되어서 합이 96입니다. ⑦이 1일 때 ⑥은 2, ⓒ은 3이 되어서 합이 32입니다.

41쪽

02

[정답] 2

[풀이]

십의 자리에서 받아올림한 수는 1이므로 ⑦은 1입니다.
일의 자리에서 ⑥+ⓔ=ⓒ이므로 ⓔ은 0또는 5입니다.
ⓔ이 0이면 ⑥=2, ⓒ=9일 때 식의 계산 결과가 가장 작습니다. ⓔ이 5이면 ⑥=2, ⓒ=8일 때 식의 계산 결과가 가장 작습니다.

03

[정답] 12, 34

[풀이]

⑦에 1부터 차례대로 넣어서 ⑥ⓒ이 될 수 있는 수를 모두 찾습니다.

1 1	2 2	3 3
+ ⑥ ⓒ	+ ⑥ ⓒ	+ ⑥ ⓒ
4 5	4 5	4 5

⑦=1 ➡ ⑥ⓒ=34   ⑦=2 ➡ ⑥ⓒ=23   ⑦=3 ➡ ⑥ⓒ=12

04

[정답]

	9	4			9	2
+	8	2		+	8	4
1	7	6		1	7	6

[풀이]

십의 자리에 9와 8을 넣어 가장 큰 값을 만듭니다. 일의 자리에서 받아올림을 하면 8을 두 번 사용하므로 일의 자리에 들어가는 숫자의 합은 10보다 작아야 합니다.

42쪽

 TOP 사고력

01

[정답] 3 1 - 2 5 - 4 또는 3 1 - 2 4 - 5

[풀이]

십의 자리에 들어갈 수 있는 숫자 4쌍은 (1, 2), (2, 3), (3, 4), (4, 5)입니다. 남은 숫자로 빼는 수는 크게, 빼어지는 수는 작게 만들면 31-25-4=31-24-5입니다.

02

[정답] 6

[풀이]

합이 가장 작은 식을 만들었으므로 2는 십의 자리에 들어가야 합니다. 합이 가장 작은 덧셈식의 계산 결과가 71이므로 일의 자리의 숫자의 합은 11이고 십의 자리의 숫자의 합은 6입니다. 따라서 뒤집어진 카드의 숫자는 4와 6입니다. 숫자 2, 4, 5, 6으로 차가 가장 작은 식을 만들면 52-46=6입니다.

43쪽

03

[정답] ○= 7 , □= 3

[풀이]

첫 번째 식에서 ☆을 □번 곱한 값과 ☆을 ○번 곱한 값을 더한 값은 ☆을 □+○번 곱한 값과 같습니다. 따라서 □+○=10입니다.

04

[정답]

⑦= 1 , ⑥= 9 , ⓒ= 0 ,

ⓔ= 8 , ⑩= 7 , ⑭= 5

[풀이]

십의 자리에서 백의 자리로 1을 받아올리면 ⑦=1, ⑥=9, ⓒ=0입니다. 일의 자리에서 ⑭은 0 또는 5인데 ⓒ이 0이므로 5입니다. 받아올림이 생겨야 하므로 ⓔ은 5보다 큰 숫자이고 6부터 차례로 ⓔ에 넣어 식의 값이 가장 클 때를 구합니다.

3. 길이, 무게, 들이

45쪽

생각열기
단위길이

다음과 같이 가위와 지우개, 바둑알 여러 개를 사용하여 같은 길이를 만들었습니다. 가위와 지우개의 길이는 바둑알 몇 개의 길이와 같은지 각각 구하시오.

지우개 1개 = 바둑알 $\boxed{2}$ 개, 가위 1개 = 바둑알 $\boxed{7}$ 개

46쪽

🌱 나무 막대와 성냥개비, 풀 여러 개를 사용하여 같은 길이를 만들었습니다. 나무 막대와 풀 중 더 긴 물건의 이름을 쓰고, 성냥개비 몇 개만큼 차이 나는지 구하시오.

나무 막대, 1개

[풀이]

풀과 풀 사이에 세로로 직선을 그으면 풀 1개의 길이는 성냥개비 3개의 길이와 같습니다. 나무 막대 1개의 길이는 성냥개비 4개의 길이와 같습니다.

47쪽

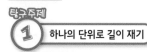
탐구주제
1 하나의 단위로 길이 재기

탐구 유형 1-1 몇 배

[정답] (1) 24 m (2) 6 m (3) 30 m

연습 01

[정답] 4뼘

[풀이]

책상의 긴 부분은 짧은 부분의 3배이고, 책상의 긴 부분이 12뼘이므로 3×4=12입니다.

48쪽 관련

연습 02

[정답] 28분

[풀이]

희원이 걸음으로 도서관에서 학원까지 가는데 걸리는 시간은 도서관에서 학교까지 가는데 걸리는 시간의 2배입니다.

48쪽

탐구 유형 1-2 하나의 단위로 비교하기

[정답]

(1) ① : $\boxed{11}$ 번 ② : $\boxed{13}$ 번 ③ : $\boxed{10}$ 번 ④ : $\boxed{12}$ 번

(2) ②, ④, ①, ③

[풀이]

4가지의 길이를 ㉡으로만 재었을 때의 길이는 다음과 같습니다.

①=(1×4)번+7번   ②=(2×4)번+5번

③=10번   ④=(3×4)번

연습 01

[정답] 6배

[풀이]

공책 1권의 길이는 연필 3자루의 길이와 같으므로 공책 2권의 길이는 연필 6자루의 길이와 같습니다.

49쪽

연습 02

[정답] 5배

[풀이]

나 나무 막대 1개의 길이는 다 나무 막대 2개의 길이와 같으므로 가 나무 막대의 길이는 다 나무 막대 2+2+1=5개의 길이와 같습니다.

[정답] 17배

[풀이]

㉠ 리본 1개의 길이는 ㉡ 리본 2개의 길이와 같고, ㉡ 리본 1개의 길이는 ㉢ 리본 3개의 길와 같으므로 ㉠ 리본 1개의 길이는 ㉢ 리본 6개의 길이와 같습니다. 수호, 철호, 민현이의 키를 ㉢ 리본의 개수로 나타내면 다음과 같습니다.

수호: (2×6)+(2×3)=18개

철호: 18-(3+2)=13개

민현: 13+4=17개

50쪽

탐구 유형1-3 **둘로 잘라낸 막대**

[정답] (1) ㉠ 6개, ㉡ 6개 (2) 3배 (3) 24배

[풀이]

(2) ㉡ 8개의 길이는 ㉠ 6개의 길이와 ㉡ 6개의 길이의 합과 같으므로 ㉡ 2개의 길이는 ㉠ 6개의 길이와 같습니다.

(3) ㉢ 1개의 길이는 ㉠ 4개의 길이와 같습니다.

[정답] 4배

[풀이]

준혁이의 3뼘의 길이는 연필 3자루의 길이와 지우개 3개의 길이의 합과 같습니다. 준혁이의 3뼘의 길이가 연필 4자루의 길이와 같으므로 연필 1자루의 길이는 지우개 3개의 길이와 같습니다.

51쪽

[정답] 5개

[풀이]

붓으로 4번 잰 길이는 연필 4번 잰 길이와 나무 막대 4번으로 잰 길이의 합과 같습니다. 따라서 연필 1자루의 길이는 나무 막대 4개의 길이와 같습니다.

[정답]

[풀이]

10을 두 수로 가르면 두 수의 쌍으로 가능한 것은 (1, 9)와 (2, 8), (3, 7), (4, 6), (5, 5)입니다. 4×3=6×2이므로 조건을 만족하는 수의 쌍은 (4, 6)입니다.

52쪽

탐구주제

2 **눈금 없는 측정**

삼각형 1개로 잴 수 있는 길이를 모두 쓰시오.

3, 4, 5

그림과 같이 두 삼각형의 변의 길이를 더해서 잴 수 있는 길이를 모두 쓰시오.

6, 7, 8, 9, 10

[풀이] 3, 4, 5 중 두 수의 합을 모두 찾습니다.

그림과 같이 두 삼각형의 변의 길이를 빼서 잴 수 있는 길이를 모두 쓰시오.

1, 2

[풀이] 3, 4, 5 중 두 수의 차를 모두 찾습니다.

53쪽

탐구 유형2-1 **막대로 잴 수 있는 길이**

[정답]

(1) 1 cm, 2 cm, 7 cm

(2)

8 cm

9 cm

6 cm

5 cm

(3)

10 cm

6 cm

4 cm

8 cm

(4) 3 cm

01

[정답]

1 cm   3 cm   ⑥ cm   ⑧ cm

⑩ cm   11 cm   12 cm   ⑯ cm

[풀이]

연결 막대 1개로 잴 수 있는 길이는 4 cm, 5 cm, 7 cm입니다.

연결 막대 2개의 합을 이용하여 잴 수 있는 길이는 9 cm, 11 cm, 12 cm이고 차를 이용하여 잴 수 있는 길이는 1, 2, 3입니다.

길이	방법	길이	방법	길이	방법
1	5−4 = 1	2	7−5 = 2	3	7−4 = 3
4	4	5	5	6	×
7	7	8	×	9	4+5 = 9
10	×	11	4+7 = 11	12	5+7 = 12

 02

[정답] 5 cm

[풀이] 눈금이 지워진 자로 잴 수 있는 길이는 다음과 같습니다.

길이	방법	길이	방법	길이	방법
1	5−4 = 1	2	7−5 = 2	3	7−4 = 3
4	11−7 = 4	5	×	6	11−5 = 6
7	11−4 = 7	8	13−5 = 8	9	13−4 = 9

03

[정답]

2 cm, 3 cm, 5 cm, 7 cm, 10 cm, 12 cm, 14 cm, 15 cm, 17 cm

[풀이]

책 또는 공책으로 잴 수 있는 길이, 책과 공책을 이어 붙여 잴 수 있는 길이, 책과 공책을 겹쳐서 잴 수 있는 길이로 나누어 구합니다. 책과 공책으로 잴 수 있는 길이는 다음과 같습니다.

길이	방법	길이	방법	길이	방법
2	7−5 = 2	3	10−7 = 3	5	5
7	7	10	10	12	5+7 = 12
14	7+7 = 14	15	10+5 = 15	17	10+7 = 17

 04

[정답] 1 cm, 2 cm, 3 cm, 4 cm, 5 cm, 6 cm, 7 cm, 8 cm

[풀이]

종이를 접지 않고 잴 수 있는 길이는 6 cm, 8 cm입니다.

종이를 한 번 접어 잴 수 있는 길이는 2 cm, 3 cm, 4 cm입니다.

종이를 두 번 접어 잴 수 있는 길이는 1 cm, 2 cm, 3 cm, 4 cm, 5 cm, 7 cm입니다.

탐구 유형 2−2   **잴 수 있는 무게**

[정답]

(1) 3 g, 4 g, 9 g, 10 g, 13 g

(2) 5 g, 6 g, 8 g, 11 g

(3) 1 g, 2 g, 3 g, 4 g, 5 g, 6 g, 7 g, 8 g, 9 g, 10 g, 11 g, 12 g, 13 g

[풀이]

무게가 1 g, 3 g, 9 g인 추와 양팔저울을 사용하여 잴 수 있는 무게는 다음과 같습니다.

길이	방법	길이	방법	길이	방법
1	1	2	3−1 = 2	3	3
4	1+3 = 4	5	9−1−3 = 5	6	9−3 = 6
7	1+9−3 = 7	8	9−1 = 8	9	9
10	1+9 = 10	11	3+9−1 = 11	12	3+9 = 12
13	1+3+9 = 13				

 01

[정답] 1 g, 2 g, 3 g, 4 g, 5 g, 6 g, 7 g, 8 g, 9 g, 10 g

[풀이]

무게가 1 g, 2 g, 7 g인 추와 양팔저울을 사용하여 잴 수 있는 무게는 다음과 같습니다.

길이	방법	길이	방법	길이	방법
1	1	2	2	3	1+2 = 3
4	7−1−2 = 4	5	7−2 = 5	6	7−1 = 6
7	7	8	1+7 = 8	9	2+7 = 9
10	1+2+7 = 13				

[정답] 11 g

[풀이]

무게가 2 g, 3 g, 7 g인 추와 양팔저울을 사용하여 잴 수 있는 무게는 다음과 같습니다.

길이	방법	길이	방법	길이	방법
1	3-2 = 1	2	2	3	3
4	7-3 = 4	5	7-2 = 5	6	2+7-3 = 6
7	7	8	3+7-2 = 8	9	2+7 = 9
10	3+7 = 10	11	×	12	2+3+7 = 12

3

[정답] 8 g, 11 g, 12 g

[풀이]

무게가 3 g, 4 g, 6 g인 추와 양팔저울을 사용하여 잴 수 있는 무게는 다음과 같습니다.

길이	방법	길이	방법	길이	방법
1	4-3 = 1	2	6-4 = 2	3	3
4	4	5	3+6-4 = 5	6	6
7	3+4 = 7	8	×	9	3+6 = 9
10	4+6 = 10	11	×	12	×
13	3+4+6 = 13				

58쪽

탐구 유형 2-3 **2개의 물통**

[정답] (1) 2 L (2) 4 L (3) 1 L (4) 1 L

[풀이]

첫째 방법은 5 L를 채워서 3 L로 옮기기, 둘째 방법은 3 L를 채워서 5 L로 옮기기입니다. 두 방법 모두 만들 수 있는 들이를 모두 찾을 수 있습니다.

59쪽

1

[정답] 5 L 물통에 물을 가득 채운 후 2 L 물통이 가득 차도록 2번 옮기면 남은 물이 1 L입니다.

[다른 정답] 2 L 물통을 가득 채워서 5 L 물통에 3번 옮기면 남은 물이 1 L입니다.

2

[정답]

4 L 물통에 물을 가득 채운 후 7 L 물통이 가득 차도록 2번 옮기면 1 L가 남습니다. 남은 물을 7 L 물통으로 옮긴 후 4 L를 한 번 가득 채워서 옮기면 5 L가 됩니다.

[다른 정답]

7 L 물통을 가득 채워서 4 L 물통이 가득 차도록 옮기면 3 L가 남습니다. 남은 물을 4 L 물통에 옮기고 다시 7 L 물통을 가득 채워서 옮기면 6 L가 남습니다. 남은 물을 4 L 물통에 옮기면 2 L가 남습니다. 남은 물을 4 L물통으로 옮기고 7 L 물통을 가득 채워서 4 L 물통을 가득 채우면 5 L가 남습니다.

60쪽

 TOP 사고력

01

[정답] 10개

[풀이] 단추 3개의 길이와 클립 2개의 길이가 같으므로 클립 4개의 길이는 단추 6개의 길이와 같습니다.

02

[정답] 다음과 같이 6 cm를 반으로 접어 3 cm를 만든 후, 3 cm인 변을 10 cm인 변으로 접어 7 cm를 잴 수 있습니다.

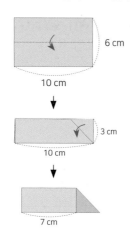

03

[정답] 2 g, 7 g

[풀이]

3 g을 제외한 나머지 추 2개의 무게를 더하면 9 g입니다. 나머지 추 2개로 가능한 무게는 1과 8, 2와 7, 4와 5입니다.

이 중 3 g과 같은 쪽 저울에 놓아 10 g을 만들 수 있는 것은 7 g 추입니다. 따라서 2 g, 7 g 추가 필요합니다.

04

[정답]

[풀이]

잴 수 있는 길이가 많으려면 리본을 서로 다른 길이로 잘라야 합니다. 따라서 가능한 리본의 길이는 (1, 2, 9) 또는 (1, 3, 8) 또는 (1, 4, 7) 또는 (1, 5, 6)입니다.

길이가 1, 2, 9인 리본으로 잴 수 있는 길이
: 1, 2, 3, 6, 7, 8, 9, 10, 11, 12
길이가 1, 3, 8인 리본으로 잴 수 있는 길이
: 1, 2, 3, 4, 5, 6, 7, 8, 9, 10, 11, 12
길이가 1, 4, 7인 리본으로 잴 수 있는 길이
: 1, 2, 3, 4, 5, 6, 7, 8, 10, 11, 12
길이가 1, 5, 6인 리본으로 잴 수 있는 길이
: 1, 2, 4, 5, 6, 7, 10, 11, 12

4. 시각, 날짜

생각열기

유통기한

지워진 유통기한은 몇 월 며칠 몇 시인지 구하고, 이 김밥을 먹어도 되는지 판단하시오.
지워진 유통기한은 12월 16일 19시이므로 김밥을 먹어도 됩니다.

🍀 시간의 덧셈, 뺄셈을 계산하시오.

(1)　　　4 시 47 분　(2)　　　1 시 12 분
　　　+ 3 시 36 분　　　+ 6 시 49 분
　　　　8 시 23 분　　　　8 시 1 분

(3)　　　7　　60　　　(4)　　　10　　60
　　　　8̸ 시 31 분　　　　1̸1̸ 시 13 분
　　　- 4 시 58 분　　　- 5 시 45 분
　　　　3 시 33 분　　　　5 시 28 분

🍀 오전과 오후 중 올바른 것에 ○표하고, 시각을 쓰시오.

(1) (오전 오후)　3 시 10 분
(2) (오전 오후)　8 시 40 분

[풀이]

(1) 오전 6시 40분+8시간 30분
　　=오전 6시 40분+(5시간 20분+3시간 10분)
　　=낮 12시+3시간 10분=오후 3시 10분

(2) 오후 4시 10분-7시간 30분
　　=오후 4시 10분-4시간 10분-3시간 20분
　　=낮 12시-3시간 20분=오전 8시 40분

덧셈을 계산한 후에 시각에 12를 빼면서 오전을 오후로 바꾸어 주거나, 뺄셈을 계산하기 전에 빼어지는 시각에 12를 더해서 오전 기준 시각으로 바꾸어 계산할 수도 있습니다.

66쪽

탐구주제
1 시각과 시간

탐구 유형 1-1 낮의 길이

[정답]

(1) ⎡4⎤ 시간 ⎡23⎤ 분+오후 5시 28분= ⎡9⎤ 시간 ⎡51⎤ 분

(2)
```
     오후  5 시   28 분
   +      12 시간
     오전 ⎡17⎤ 시 ⎡28⎤ 분
   - 오전  7 시   37 분
           ⎡9⎤ 시간 ⎡51⎤ 분
```

 01

[정답] 오후 2시 43분

[풀이]

오전 9시 25분+2시간 35분+2시간 43분

=낮 12시+2시간 43분=오후 2시 43분

[다른 풀이]

오전 9시 25분+5시간 18분

=오전 14시 43분=오후 2시 43분

67쪽

 02

[정답] 오전 7시 10분

[풀이]

오후 10시 40분+1시간 20분+7시간 10분

=밤 12시+7시간 10분=다음 날 오전 7시 10분

[다른 풀이]

오후 10시 40분+8시간 30분

=오후 18시 70분=오후 19시 10분= 다음날 오전 7시 10분

 03

[정답]

	해 뜨는 시각	해 지는 시각	낮의 길이
1월	7시 40분	17시 20분	9시간 40분
3월	6시 50분	18시 40분	11시간 50분
5월	5시 40분	19시 20분	13시간 40분
10월	6시 30분	18시	11시간 30분

68쪽

(1) 9시간

(2) 17시간

(3) 9시간

(4) 8시간

69쪽

탐구 유형 1-2 비행기 현지 도착 시각

[정답]

(1) 17시간

(2) 8월 12일 오후 10시 30분

(3) 8월 13일 오전 8시 20분

[풀이]

받아내림이 있는 경우 날짜에서 1을 빼고 시간에 24시간을 더해 계산합니다.

(1) 12시간+10시 45분-5시 45분

=12시간+5시=17시간

(2) 8월 13일 오후 3시 30분-17시간

=8월 12일 오후 27시 30분-17시간

=8월 12일 오후 10시 30분

(3) 8월 12일 22시 30분+9시간 50분

=8월 12일 22시 30분+1시간 30분+8시간 20분

=8월 13일 오전 8시 20분

 01

[정답] 9월 2일 오후 10시 15분

[풀이]

서울과 보스턴의 시차는 다음과 같습니다.

오전 1시 25분-하루 전 오후12시 25분

=24시간 +1시 25분-1시 25분-11시

=24시-11시=13시간

친구가 문자를 받은 날짜와 시각은 다음과 같습니다.

9월 3일 오전 11시 15분-13시간

=9월 3일 오전 11시 15분-11시간 15분-1시간 45분

=9월 2일 오후 10시 15분

70쪽

02

[정답] 10월 12일 오후 1시 35분

[풀이]

서울과 멕시코시티의 시차는 다음과 같습니다.

오후 6시-오전 4시=18시-4시=14시간

멕시코시티에 도착했을 때 서울 시각은 다음과 같습니다.

10월 12일 오후 2시+13시간 35분

=10월 12일 14시+10시간+3시간 35분

=10월 13일 오전 3시 35분

따라서 멕시코시티에 도착했을 때의 날짜와 현지시각은 다음과 같습니다.

10월 13일 오전 3시 35분-14시간

=10월 12일 오후 15시 35분-14시간

=10월 12일 오후 1시 35분

03

[정답]

	뉴욕	서울	하와이
	3월 4일 오전 6시 35분	3월 4일 오후 7시 35분	3월 4일 오전 12시 35분
	3월 7일 오후 1시 20분	3월 8일 오전 2시 20분	3월 7일 오전 7시 20분
	3월 11일 오전 4시 50분	3월 11일 오후 5시 50분	3월 10일 오후 10시 50분

[풀이] 서울과 뉴욕의 시차는 13시간이고, 서울과 하와이의 시차는 19시간입니다.

71쪽

탐구 주제
② 날짜와 요일

(1) 마지막 날이 30일인 달을 모두 쓰시오.
4월, 6월, 9월, 11월

(2) 마지막 날이 28일 또는 29일인 달을 쓰시오.
2월

(3) 같은 요일은 며칠마다 한 번씩 반복되는지 쓰시오.
7일

72쪽

 달력의 순서

[정답]

(1) 1월, 3월, 5월, 7월, 8월, 10월, 12월

(2) 7월과 8월, 12월과 1월

(3) 11월, 12월, 1월

01

[정답]

73쪽

02

[정답]

7월   8월   9월

연습03

[정답]

12월   2월

3월   1월

[풀이]

달력의 마지막 날이 28일과 31일뿐이므로 네 달의 달력은 12월, 1월, 2월, 3월입니다. 달력의 마지막 날과 1일을 비교하여 순서를 생각합니다.

탐구 유형 2-2 　어린이날의 요일은?

[정답]

(1) 1월 29일

(2) 화요일

01

[정답] (1) 목요일 (2) 화요일 (3) 월요일

[풀이]

(1) 14일 후는 7일이 2번 반복되기 때문에 같은 요일입니다.

(2) 33일 후는 7일이 4번 반복되고 5일 후입니다.

(3) 24일 전은 7일이 3번 반복되고 3일 전입니다.

02

[정답] 토요일

[풀이]

5월 30일은 5월 1일에서 29일 지난 날입니다. 29일이 지날 때 7일이 4번 반복되고 1일 지납니다.

03

[정답] 토요일

[풀이]

11월 1일이 화요일이므로 29일 후인 11월 30일은 수요일입니다. 따라서 12월 1일은 목요일이고 23일 후인 12월 24일은 토요일입니다.

04

[정답] 수요일

[풀이]

8월 5일이 일요일이므로 4일 전인 8월 1일은 수요일입니다. 따라서 7월 31일은 화요일이고 20일 전인 7월 11일은 수요일입니다.

 탐구 유형 2-3 　조건에 맞는 달력

[정답]

(1)

화	수	목	금	토	일	월
1	2	3	4	5	6	7
8	9	10	11	12	13	14
15	16	17	18	19	20	21
22	23	24	25	26	27	28
29	30	31				

(2) 금요일

(3) 금요일

01

[정답] 화요일

[풀이]

수	목	금	토	일	월	화
				1	2	3	4
5	6	7	8	9	10	11
12	13	14	15	16	17	18
19	20	21	22	23	24	25
26	27	28	29	30	31	

02

[정답] 2월 28일

03

[정답] 수요일, 목요일

[풀이]

5월 9일이 월요일이므로 22일 후인 5월 31일은 화요일이고 6월 1일은 수요일입니다. 6월의 마지막 날은 30일이므로 1일과 2일이 있는 요일이 5번씩 있는 요일입니다.

04

[정답] 토요일

[풀이]

월요일이 4번 있고 화요일이 5번 있는 11월의 달력은 다음과 같습니다.

화	수	목	금	토	일	월
1	2	3	4	5	6	7
8	9	10	11	12	13	14
15	16	17	18	19	20	21
22	23	24	25	26	27	28
29	30					

TOP 사고력

01

[정답] 7시 25분

[풀이]

예슬이가 일어나서 학교에 도착하기까지 걸린 시간은 50분
+15분+1시간 20분=2시간 25분입니다. 따라서 예슬이가 일
어난 시각은 9시 50분-2시간 25분=7시 25분입니다.

02

[정답] 28일

[풀이]

어느 주의 목요일에서 일요일까지는 4일이고, 날짜의 합이
38이므로 연속수를 구하면 다음과 같습니다.

38=19+19=9+9+10+10=8+9+10+11

따라서 목요일에서 일요일까지의
날짜는 다음과 같습니다.

9월

일	월	화	수	목	금	토
				8	9	10
11						

03

[정답] 월요일

[풀이]

12월 31일은 일요일이므로 일주일 전인 12월 24일도 일요
일이고 12월 25일은 월요일입니다.

04

[정답] 10월 9일 오후 12시 40분

[풀이]

오전 5시 20분부터 1시간 30분을 연속해서 더하면 출발 시각
을 구할 수 있습니다. 오전 9시 50분 비행기를 타야 합니다.

5시 20분 → 6시 50분 → 8시 20분 → 9시 50분

인천이 오전 9시 50분일 때 하노이는 같은 날 오전 7시 50분
입니다. 하노이에 도착하는 가장 빠른 시각은 다음과 같습니다.
10월 9일 오전 7시 50분+4시간 50분
=10월 9일 오전 7시 50분+10분+4시간 40분
=10월 9일 오후 12시 40분

TOP 사고력 쑥쑥

1. 곱셈

01

[정답]

12×4	3×6	4×6	10×6
7×6	7×6	8×6	2×6
10×6	6×6	3×5	12×6
3×6	11×6	5×6	9×7

[풀이]

6과 곱해진 수의 합이 14인 식을 찾습니다.

02

[정답]

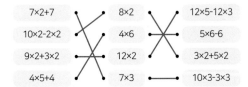

03

[정답] 가장 큰 곱: 25, 가장 작은 곱: 9

[풀이]

합이 10인 두 자연수는 (1, 9), (2, 8), (3, 7), (4, 6), (5, 5)입
니다. 가장 큰 곱은 두 수의 차가 작을 때, 가장 작은 곱은 두 수
의 차가 클 때입니다.

04

[정답] 81

[풀이]

합이 같은 두 수 중 두 수의 차이가 가장 작을 때 두 수의 곱이
가장 큽니다. 따라서 4+5=9, 2+7=9일 때 두 수의 차가 가장
작습니다.

05

[정답]

두 수의 차: 2 　　　두 수의 차: 8 　　　두 수의 차: 6

두 수의 차: 0 　　　두 수의 차: 4

[풀이]

합이 일정한 두 수 중 두 수의 차가 작을수록 두 수의 곱이 큽니다.

06

[정답]

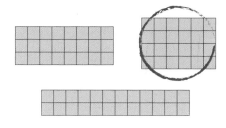

[풀이]

가로와 세로에 놓여 있는 상자의 개수의 합이 작을수록 끈이 적게 필요합니다.

07

[정답] 28

[풀이]

ⓒ과 ⓔ은 두 칸 떨어져 있고, 차이가 14이므로 가로줄은 7의 단입니다. ⓒ은 같은 수를 두 번 곱한 수이므로 세로줄도 7의 단입니다.

08

[정답] 36

[풀이]

곱셈구구표에서 한 번만 나오는 짝수는 64입니다. 이를 이용해 ⑤에 들어가는 수를 구할 수 있습니다.

	4	5	6	7	8
8					64
9	36	45	54	63	72

09

[정답] 20

[풀이]

색칠된 칸의 두 수는 5칸 떨어져 있고, 차이가 20이므로 가로줄은 4의 단입니다. 곱셈구구에서 일의 자리 숫자가 5와 0뿐인 단은 5의 단입니다.

10

[정답] 64

[풀이]

가로줄에서 원래의 두 자리 수가 오른쪽으로 4만큼 커지므로 4의 단입니다. 가로줄과 세로줄이 만나는 칸에 들어가는 수는 32이므로 세로줄은 8의 단입니다.

11

[정답] 56

[풀이]

가운데 수가 8이고 7개의 연속하는 수는 5, 6, 7, 8, 9, 10, 11입니다. 따라서 5+6+7+8+9+10+11=8+8+8+8+8+8+8이므로 8×7=56입니다.

[다른 풀이]

홀수 개의 연속하는 수의 합은 (가운데 수)×(수의 개수)이므로 8×7=56입니다.

12

[정답] 13 × 4 　　 4 × 13

[풀이]

각 줄의 쌓기나무의 개수는 연속하는 수입니다.
3+4+5+6+7+8+9+10=13+13+13+13=13×4입니다.

13

[정답] 27

[풀이]

색칠된 날짜의 합은 연속하는 수이므로 모두 같은 수로 만들어 계산합니다. 따라서 2+3+4+5+6+7=9+9+9=9×3=27입니다.

14

[정답] 45

[풀이]

5번째 모양의 파란색 삼각형의 개수는 3+6+9+12+15입니다. 다음과 같이 모두 9로 만들어 계산할 수 있습니다.
3+6+9+12+15=9+9+9+9+9=9×5=45

88쪽

15

[정답] 5678

[풀이]

26=13+13=6+6+7+7=5+6+7+8

16

[정답] 5권

[풀이]

가운데 있는 책의 번호가 9번이고 꽂혀있는 책의 번호의 합이 45이므로 9×5=45입니다. 따라서 책꽂이에 꽂혀있는 책은 5권입니다.

89쪽

2. 식 만들기

01

[정답]

$$
\begin{array}{r}
5\ 0\ 2 \\
+\quad 1\ 3 \\
\hline
5\ 1\ 5
\end{array}
\qquad
\begin{array}{r}
5\ 0\ 3 \\
+\quad 1\ 2 \\
\hline
5\ 1\ 5
\end{array}
$$

[풀이]

백의 자리에 4를 넣는 경우: 452+31=483
백의 자리에 5를 넣는 경우: 502+13=515

십의 자리 숫자끼리 또는 일의 자리 숫자끼리 위치는 바뀔 수 있습니다.

02

[정답]

(1) 합이 가장 큰 식

$$
\begin{array}{r}
9\ 1 \\
+\ 5\ 0 \\
\hline
1\ 4\ 1
\end{array}
$$

(2) 합이 가장 작은 식

$$
\begin{array}{r}
1\ 0 \\
+\ 5\ 9 \\
\hline
6\ 9
\end{array}
$$

십의 자리 숫자끼리 또는 일의 자리 숫자끼리 위치는 바뀔 수 있습니다.

90쪽

03

[정답] 3

[풀이]

십의 자리에 들어갈 수 있는 숫자는 7과 8, 8과 9입니다. 이 중 차가 가장 작은 뺄셈식은 82-79입니다.

04

[정답]

$$
\begin{array}{r}
4\ 3 \\
-\ 1\ 0 \\
\hline
3\ \ 3
\end{array}
$$

[풀이]

주어진 숫자 카드로 만들 수 있는 두 자리 수 중 가장 큰 수와 가장 작은 수로 차가 가장 큰 뺄셈식을 만들 수 있습니다.

91쪽

05

[정답] 3

[풀이]

차가 가장 작은 식을 만들면 일의 자리 뺄셈에서 반드시 받아내림을 하게 됩니다. 차가 가장 작은 식의 값이 14이므로 십의 자리 숫자의 차는 2이고, 일의 자리 숫자의 차는 6입니다.

06

[정답] 0과 8

[풀이]

가장 큰 숫자인 9는 원래 수의 십의 자리에 들어가야 합니다. 일의 자리 뺄셈에서 받아내림을 하지 않으므로 빼는 수의 십의 자리에 들어가는 수는 3입니다. 일의 자리에 들어가는 수의 차는 8입니다.

07
[정답]

(1)
```
    2 8
+   9 4
  1 2 2
```

(2)
```
  1 2 5
-   7 6
    4 9
```

08
[정답]

```
  1 3 4
+ 6 5 8
  7 9 2
```

[풀이]

십의 자리의 합이 8인 경우
: 3과 5
십의 자리의 합이 9인 경우
: 3과 6(일의 자리가 불가능)

백의 자리, 십의 자리, 일의 자리 숫자끼리는 위치가 바뀔 수 있습니다.

09
[정답]

```
    4 4
+   6 4
  1 0 8
```

[풀이]

일의 자리에 들어갈 수 있는 숫자는 4 또는 9입니다. 9가 되면 십의 자리가 0이 되어야 하므로 알맞지 않습니다.

10
[정답] ◆ = 9

[풀이]

◆×◆의 계산 결과의 일의 자리, 십의 자리 숫자의 합이 ◆인 것은 ◆ 모양이 9일 때입니다.

11
[정답]

① ★ =0

② ▧=1

③ ▧ × ▧ = ▧

④ ★ × ★ = ★ + ★

⑤ ▧는 ●의 절반입니다.

[풀이]

두 번째 식에서 ★=0 또는 ▧=1입니다. 세 번째 식에서 ★이 0이 아니므로 ▧=1입니다. 따라서 ●=2, ★=4입니다.

12
[정답] A= 1 , B= 4 , C= 8

[풀이]

알파벳 C를 세 번 더한 값의 일의 자리가 알파벳 C의 절반인 경우는 C=4 또는 C=8입니다.

13
[정답]

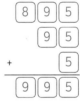

```
    8 9 5
      9 5
+       5
  9 9 5
```

[풀이]

ㄷ을 만족하는 숫자는 0 또는 5입니다. ㄷ이 0이면 ㄴ이 0이 될 수 없는데 이 때 ㄴ+ㄴ=ㄴ 또는 ㄴ+ㄴ=ㄴ+10을 만족하는 ㄴ은 있을 수 없습니다.

14
[정답] ㉠= 4 , ㉡= 7 , ㉢= 9

[풀이]

㉠㉡+㉠㉡의 값이 두 자리 수이므로 ㉠은 5보다 작은 수입니다. 식의 계산 결과가 가장 커야 하므로 ㉠=4입니다. 따라서 ㉡은 2 또는 7입니다. 식의 값이 가장 커지려면 ㉡은 7이 되어야 합니다. 따라서 ㉢은 9가 됩니다.

15

[정답] ㉠= 1 , ㉡= 9 , ㉢= 8

[풀이]

합의 백의 자리 숫자가 2인 경우: 198+99=297

합의 백의 자리 숫자가 3인 경우: 250+55=305

16

[정답] ㉠= 1 , ㉡= 2 , ㉢= 7 , ㉣= 4

[풀이]

㉠=1, ㉡=2일 때, 식을 만족하는 ㉢, ㉣을 구합니다.

㉢=4, ㉣=8인 경우: 144+84=228

㉢=7, ㉣=4인 경우: 177+47=224

3. 길이, 무게, 들이

01

[정답] 12배

[풀이]

빨간 색연필 1개의 길이는 단추 6개의 길이와 같습니다.

02

[정답] 10칸

[풀이]

형은 계단을 6칸씩 두 번 반 올라갔으므로 동생도 두 번 반 올라가면 4+4+2=10칸 올라갑니다.

[다른 풀이]

동생이 계단을 2칸 오를 때 형은 3칸을 올라갑니다. 형이 3×5=15칸을 올라갔으므로 동생은 2×5=10칸 올라갑니다.

03

[정답] 40개

[풀이]

상자의 수는 포장하는 시간의 두 배이므로 20×2=40입니다.

[다른 풀이]

시간이 4배가 되었으므로 상자의 개수도 4배가 됩니다.

04

[정답] 정수

[풀이]

친구들의 손의 길이를 ㉢ 리본의 개수로 나타내면 다음과 같습니다.

영은: (1×3)+3=6개

희수: 5개

정수: (2×3)+2=8개

성민: 2×3=6개

05

[정답] 25개

[풀이]

㉠ 막대 1개의 길이는 ㉡ 막대 3개의 길이와 같고, ㉡ 막대 1개의 길이가 ㉢ 막대 2개의 길이와 같으므로 ㉠ 막대 1개의 길이는 ㉢ 막대 6개의 길이와 같습니다. ㉠ 막대 3개는 3×6=18개의 ㉢ 막대와 길이가 같고 ㉡ 막대 2개는 2×2=4개의 ㉢ 막대와 길이가 같습니다.

따라서 책상의 높이는 18+4+3=25개의 ㉢ 막대와 길이가 같습니다.

06

[정답] 9배

[풀이]

책의 세로로 1번 잰 길이와 책의 가로로 2번 잰 길이가 같으므로 책의 세로로 3번 잰 길이는 책의 가로로 3×2=6번 잰 길이와 같습니다.

따라서 침대의 폭은 책의 가로의 6+3=9배입니다.

07

[정답] 3배

[풀이]

㉠줄로 4번 잰 길이는 ㉡줄로 4번 잰 길이와 ㉢줄로 4번 잰 길이의 합과 같습니다. ㉠ 줄로 4번 잰 길이와 ㉡ 줄로 6번 잰 길이가 같으므로 ㉡줄로 2번 잰 길이는 ㉢줄로 4번 잰 길이와 같습니다.

08

[정답] 4배

[풀이]

옷걸이로 3번 잰 길이는 붓으로 3번 잰 길이와 연필로 3번 잰 길이의 합과 같습니다. 옷걸이로 3번 잰 길이와 붓으로 4번 잰 길이는 같으므로 붓으로 1번 잰 길이는 연필로 3번 잰 길이와 같습니다.

09

[정답] 10 cm

[풀이]

연결 막대 1개로 잴 수 있는 길이는 2 cm, 3 cm, 6 cm입니다.
연결 막대 2개로 잴 수 있는 길이는 3 cm, 4 cm, 8 cm, 9 cm 입니다.
연결 막대 3개로 잴 수 있는 길이는 1 cm, 5 cm, 7 cm, 11 cm 입니다.

길이	방법	길이	방법	길이	방법
1	$6-3-2=1$	2	2	3	3
4	$6-2=4$	5	$6+2-3=5$	6	6
7	$3+6-2=7$	8	$6+2=8$	9	$3+6=9$
10	×	11	$3+6+2=11$		

10

[정답]

| 2 | 3 | 5 | | 9 | 10 |

[풀이]

눈금이 지워진 자로 잴 수 있는 길이는 1 cm, 2 cm, 3 cm, 5 cm, 7 cm, 8 cm이고 잴 수 없는 길이는 4 cm와 6 cm입니다.

11

[정답] 2 cm, 3 cm, 4 cm, 5 cm, 6 cm, 8 cm, 10 cm

[풀이]

접지 않고 잴 수 있는 길이: 6 cm, 8 cm, 10 cm
한 번 접어서 잴 수 있는 길이: 2 cm, 3 cm, 4 cm, 5 cm

12

[정답] 7 g

[풀이]

무게가 1 g, 4 g, 5 g인 추로 잴 수 있는 무게는 다음과 같습니다.

길이	방법	길이	방법	길이	방법
1	1	2	$1+5-4=2$	3	$4-1=3$
4	4	5	5	6	$1+5=6$
7	×	8	$4+5-1=8$	9	$4+5=9$
10	$1+4+5=10$				

13

[정답]

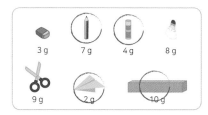

[풀이]

길이	방법	길이	방법	길이	방법
1	1	2	$1+6-5=2$	3	×
4	$5-1=4$	5	5	6	6
7	$1+6=7$	8	×	9	×
10	$5+6-1=10$	11	$5+6=11$	12	$1+5+6=12$

14

[정답]

1g 2̶g̶ 3g 4g 5g 6g 7̶g̶ 8g 9g

[풀이]

한쪽 접시에만 올려서 무게를 재므로 덧셈만 이용할 수 있습니다.

15

[정답]

5 L 물통에 물을 가득 채운 후 3 L 물통이 가득 차도록 옮기면 2 L가 남습니다. 남은 물을 3 L 물통으로 옮긴 후 5 L 물통을 한 번 더 가득 채워서 옮기면 4 L가 남습니다.

[다른 정답]

3 L 물통을 가득 채워서 5 L 물통이 가득 차도록 두 번 옮기면 1 L가 남습니다. 남은 물을 5 L 물통에 옮기고 다시 3 L 물통을 가득 채워서 옮기면 4 L가 됩니다.

16

[정답]

7 L 물통에 물을 가득 채운 후 4 L 물통이 가득 차도록 옮기면 3 L가 남습니다. 남은 물을 4 L 물통으로 옮긴 후 7 L 물통을 한 번 더 가득 채워서 옮기면 6 L가 남습니다.

[다른 정답]

4 L 물통을 가득 채워서 7 L 물통이 가득 차도록 두 번 옮기면 1 L가 남습니다. 남은 물을 7 L 물통에 옮기고 다시 4 L 물통을 가득 채워서 옮기면 5 L가 됩니다. 4 L물통을 가득 채워서 7 L 물통이 가득 차도록 옮기면 2 L가 남습니다. 남은 물을 7 L 물통에 옮기고 4 L를 더 채우면 6 L가 됩니다.

4. 시각, 날짜

01

[정답] 8월 18일 오후 9시

[풀이]

8월 17일 오전 7시+38시간

=8월 17일 7시+24시간+14시간=8월 18일 21시

02

[정답] 오후 6시 7분

[풀이]

오전 6시 8분+11시간 59분=오전 6시 8분+12시간-1분=
오후6시 7분

[다른 풀이]

오전 6시 8분+11시간 59분=오전 6시 8분+5시간 52분+6
시간 7분=낮12시+6시간 7분=오후 6시 7분

03

[정답]

기차	걸리는 시간	출발 시각	도착 시각
KTX	1시간 42분	오후 12시 40분	오후 2시 22분
새마을호	3시간 35분	오전 11시 45분	오후 3시 20분
무궁화호	4시간 16분	오전 11시 14분	오후 3시 30분

04

[정답] 오전 9시 16분

[풀이]

낮 12시보다 (11시간 12분-8시 28분=2시간 44분) 전에 비가 내리기 시작했습니다. 따라서 12시-2시간 44분=오전 9시 16분부터 비가 내리기 시작했습니다.

05

[정답] 2월 21일 오전 6시 10분

[풀이]

서울과 워싱턴의 시차는 14시간입니다. 미국에서 방송하는 야구 경기를 서울에서 볼 수 있는 시각은 다음과 같습니다.
오후 4시 10분+14시간=오후 4시 10분 +7시간 50분+6시간 10분=다음날 오전 6시 10분

06

[정답] 7월 1일 오후 10시

[풀이]

베를린과 서울의 시차는 8시간입니다. 마라톤 대회가 시작할 때 서울은 7월 1일 오후 6시입니다.

07

[정답] 13시간 20분

[풀이]

파리와 인천의 시차는 8시간입니다. 비행기가 파리에 도착했을 때 인천의 시각은 6월 3일 오전 11시 50분입니다.

08

[정답] 3월 8일 오후 3시

[풀이]

LA와 서울의 시차는 17시간입니다. 따라서 서울에 사는 친구가 전화를 받은 시각은 다음과 같습니다.

오후 10시+17시간=밤 12시+15시간=다음날 낮 12시+3시간=다음날 오후 3시

109쪽

09
[정답]

[풀이]

달력의 마지막 날과 1일을 비교하여 달력의 순서를 먼저 구하면 다음과 같습니다.

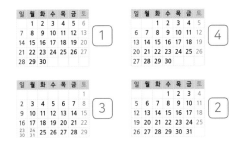

10
[정답] 일요일

[풀이]

2월 28일은 2월 1일에서 27일 지난 날입니다. 27일이 지날 때 7일이 3번 반복되고 6일 지납니다.

110쪽

11
[정답] 일요일

[풀이]

3월 25일은 3월 1일에서 24일 지난 날입니다. 24일이 지날 때 7일이 3번 반복되고 3일 지납니다.

12
[정답] 토요일

[풀이]

5월 31일은 금요일이고, 5월 18일은 5월 31일에서 13일 전인 날입니다.

111쪽

13
[정답] 3월 11일

[풀이]

찢어진 달력은 2월이므로 다음 달은 3월입니다. 3월 1일은 토요일이고, 3월 4일은 화요일입니다.

14
[정답] 일요일

[풀이]

토요일이 4번 있고 금요일이 5번 있는 9월의 달력은 다음과 같습니다.

토	일	월	화	수	목	금
					1	2
3	4	5	6	7	8	9
10	11	12	13	14	15	16
17	18	19	20	21	22	23
24	25	26	27	28	29	30

112쪽

15
[정답] 일요일

[풀이]

일요일이 4번 있고 월요일이 5번 있는 4월의 달력은 다음과 같습니다.

금	토	일	월	화	수	목
			1	2	3	4
5	6	7	8	9	10	11
12	13	14	15	16	17	18
19	20	21	22	23	24	25
26	27	28	29	30		

[정답] 금요일

[풀이]

화요일과 일요일이 5번씩 있는 1월의 달력은 다음과 같습니다. 2월 3일은 금요일이므로 이보다 3주 후인 2월 24일도 수요일입니다.

일	월	화	수	목	금	토
1	2	3	4	5	6	7
8	9	10	11	12	13	14
15	16	17	18	19	20	21
22	23	24	25	26	27	28
29	30	31				

조건에 맞는 달력

<활동 목표>

만능 달력을 이용하여 주어진 조건을 만족하는 달력을 만들어 문제를 해결합니다.

<활동 방법>

만능 달력을 이용하여 다음 물음에 답하시오. 단, 마지막 날이 30일인 달은 31일을 가리고 문제를 해결합니다.

(1) 어느 해 1월에 금요일과 일요일이 5번씩 있습니다. 1월 10일의 요일을 구하시오.

일요일

(2) 어느 해 7월 15일은 화요일입니다. 다음 달 8월 1일의 요일을 구하시오.

금요일

(3) 어느 해 4월의 목요일에는 홀수가 3번 있습니다. 같은 해 5월 19일의 요일을 구하시오.

수요일

(4) 어느 9월에 수요일인 두 날짜의 합이 27입니다. 같은 해 8월 16일의 요일을 구하시오.

토요일

활동지㉠

활동지㉡

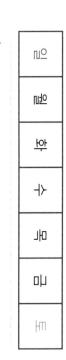

자르는선

일	월	화	수	목	금	토

	2	9	16	23 / 30
	3	10	17	24 / 31
	4	11	18	25
	5	12	19	26
	6	13	20	27
	7	14	21	28
1	8	15	22	29
2	9	16	23	30
3	10	17	24	31
4	11	18	25	
5	12	19	26	
6	13	20	27	
7	14	21	28	

자르는 선

자르는 선

천종현수학연구소는

천종현 연구소장 아래 사고력 수학 교재를 써온 집필진으로 이루어져 있습니다. 사고력 수학을 가르치는 것으로부터 시작하여 사고력, 창의력 교재를 개발하면서 원리로부터 시작하는 단계적 학습을 중요하게 생각하는 실전에 강한 사고력 전문가 집단입니다.

원리를 이해하는 공부가 아니라 방법을 암기하는 수학 공부법에 대한 문제 인식을 가지고 아이들이 쉽고 재미있게 공부하면서도 생각하는 힘이 자라는 수학 컨텐츠를 연구하고 있습니다.

실력을 쌓는 수학 공부는 연산도 연습과 함께 원리가 중요합니다.
원리셈은 생활 속 소재와 교구 그림을 통해 쉽게 원리를 익히고, 다양한 문제로 재미있게 반복 연습할 수 있는 연산 교재입니다.

5·6세 단계

수와 수학을 처음 배우는 단계
수 읽기, 세기, 쓰기를 붙임 딱지를 활용하여 재미있게 공부하도록 구성
매 단원의 마지막은 쉽고 재미있는 내용의 사고력 수학

6·7세 단계

수를 세어 덧셈, 뺄셈의 개념을 아는 단계
20까지의 수를 차례로 세어 덧셈, 뺄셈을 이해하고 생활 속 소재와 흥미 있는 연산 퍼즐을 통해 재미있게 공부

7·8세 단계

한 자리 덧셈, 뺄셈을 확실히 잡아가는 단계
받아올림, 받아내림 없는 덧셈, 뺄셈 다지기와 10의 보수 학습을 통한 받아올림, 받아내림의 개념 잡기

초등1 단계

초등 1학년 단계
받아올림, 받아내림 없는 두 자리 덧셈, 뺄셈과 받아올림, 받아내림이 있는 한 자리 덧셈, 뺄셈의 집중 연습
마지막 단원은 앱을 이용하여 시간을 재고 다른 친구들의 기록과 비교하는 집중 연산

초등2 단계

초등 2학년 단계
두 자리 덧셈, 뺄셈과 곱셈구구 그리고, 나눗셈의 개념 알기
마지막 단원은 앱을 이용하여 시간을 재고 다른 친구들의 기록과 비교하는 집중 연산

초등3 단계

초등 3학년 단계
세 자리 덧셈과 뺄셈과 두/세 자리 곱셈, 나눗셈
총 6개 단원으로 그 중 2개 단원은 앱을 이용하여 시간을 재고 다른 친구들의 기록과 비교하는 집중 연산

초등4 단계

초등 4학년 단계
큰 수의 곱셈과 나눗셈, 분수와 소수의 덧셈과 뺄셈, 자연수 혼합 계산
총 6개 단원으로 그 중 2개 단원은 앱을 이용하여 시간을 재고 다른 친구들의 기록과 비교하는 집중 연산

초등5·6 단계

초등 5, 6학년 단계
분모가 다른 분수의 덧셈, 뺄셈, 분수와 소수의 곱셈과 나눗셈
6학년 연산 비중이 낮은 것을 고려한 통합 연산 단계
총 6개 단원으로 그 중 2개 단원은 앱을 이용하여 시간을 재고 다른 친구들의 기록과 비교하는 집중 연산

예비 중등 단계

초등 6학년, 중등 1학년 단계
유리수의 혼합 계산과 방정식의 계산 2권으로 중등 수학을 처음 접하는 학생들 위한 원리 중심의 연산 교재
총 6개 단원으로 그 중 2개 단원은 앱을 이용하여 시간을 재고 다른 친구들의 기록과 비교하는 집중 연산